!

ver!ssimo

rua Cosme Velho, 103
Rio de Janeiro – RJ – CEP: 22241-090
Tel.: (21) 2199-7824
Fax: (21) 2199-7825
www.objetiva.com.br

Capa e projeto gráfico
Crama Design Estratégico

Ilustração
Ricardo Leite

Colorização e design
Eduardo Rocha

Coordenação editorial
Isa Pessôa

Produção gráfica
Marcelo Xavier

Revisão
Raquel Corrêa
Rita Godoy

Editoração eletrônica
Abreu's System

CIP-BRASIL. CATALOGAÇÃO-NA-FONTE
SINDICATO NACIONAL DOS EDITORES DE LIVROS, RJ

V619c
Verissimo, Luis Fernando
Comédias brasileiras de verão / Luis Fernando Verissimo. - Rio de Janeiro : Objetiva, 2009.

191p. ISBN 978-85-7302-957-4

1. Crônica brasileira. I. Título.

09-1752 CDD: 869.98
CDU: 821.134.3(81)-8

LUIS FERNANDO

ver!ssimo

Comédias Brasileiras de Verão

OBJETIVA

Sumário

Eles e Elas

Obsessões

Separações

A vida em bando

Álbum de família

Eles e Elas

O dia seguinte

Aconteceu que Renato e Roberta abriram os olhos ao mesmo tempo. Era meio-dia. Algum ruído da rua deve ter acordado os dois, não sei. O fato é que os dois acordaram juntos. Suas caras a centímetros uma da outra. Frente a frente. Agora, primeiro de janeiro.

Os dois estavam nus, na mesma cama, sob o mesmo lençol, e nenhum dos dois sabia como tinha chegado ali e quem era o outro. Ficaram se olhando por um bom minuto e meio, piscando. Quem falou primeiro foi a Roberta. Disse:

— Oi.

— Oi — disse o Renato.

Silêncio. Depois Roberta olhou em volta e perguntou: — Seu apartamento?

Renato também olhou em volta antes de dizer:

— Acho que não...

Roberta estendeu a mão.

— Roberta.

— Renato.

Tentaram fazer uma reconstituição da noite. Tinham ido a réveillons diferentes. Bairros diferentes, inclusive. A última coisa que Renato se lembrava era de ter gritado de uma janela, à meia-noite, "Um ano do cacete pra todo mundo!". A última coisa que Roberta se lembrava era de estar deitada no chão abraçada a uma garrafa de champanhe, resistindo a todas as tentativas de tirá-la dos seus braços. Onde podiam ter se encontrado? Não frequentavam os mesmos lugares. Seus respectivos grupos de amigos não batiam. Suas famílias certamente não se conheciam. Tinham mais ou menos a mesma idade, mas as afinidades terminavam aí. Chegaram ao que parecia ser uma referência comum, um tal de Rocha, mas depois descobriram que não era o mesmo Rocha. Clube, bairro, faculdade, trabalho, nada fechava. Era como se vivessem em civilizações diferentes. Mundos à parte.

Nenhuma identidade tribal explicava estarem ali, nus, na mesma cama. Nada. Nem seita, nem passatempo (ele coleção de selos, ela ginástica rítmica) nem preferências musicais (ele Caetano, MPB em geral, alguma coisa do jazz, ela rock) ou literárias (policiais, Paulo Coelho). A única coisa que tinham em comum era que nenhum dos dois estava acostumado a beber, e os dois eram meio tímidos. Não sabiam por que tinham bebido tanto naquele fim de ano. A proximidade do milênio, talvez fosse isso. Não, ele não tinha namorada. Ela tinha brigado com o seu namorado em junho. Onde tinham se encontrado? Era inútil. Ficaram uma hora tentando se lembrar, e tentando sincronizar suas biografias. Não conseguiram. Depois, pelo que eu soube, eles tiveram dois problemas. Um: ele sugeriu, meio sem jeito, que já que estavam ali, nus, na mesma cama... e ela reagiu, indignada, dizendo que afinal nem se conheciam. Dois: discutiram para saber quem se enrolaria no lençol para sair da cama sem que o outro visse a sua nudez, comprometendo-se a não olhar para trás e ver a nudez desprotegida do outro desconhecido.

Ela ganhou. Quando estavam saindo do apartamento, viram que tinha um homem dormindo no sofá, de boca aberta. Ela não queria, mas ele acordou o homem. Para saber, pelo menos, onde estavam. O homem levantou-se num sobressalto. Olhou para os dois, depois olhou na direção do quarto.

— Posso ir pra minha cama? — disse, se afastando.

— Espere — disse Renato. — Quem é você?

O homem nem se virou para responder.

— Romão.

Depois parou, pensou um pouco e, ainda sem se virar, corrigiu.

— Romão, não. Ramão. Por aí.

E entrou no quarto, resmungando:

— Que Ano-novo!

— Amigo seu? — perguntou Renato para Roberta.

— Nunca vi — disse Roberta.

Os dois saíram do apartamento, hesitaram — se beijavam nas faces ou não? — e depois foi cada um para o seu lado.

Estragou a televisão

— Iiih...

— E agora?

— Vamos ter que conversar.

— Vamos ter que o quê?

— Conversar. É quando um fala com o outro.

— Fala o quê?

— Qualquer coisa. Bobagem.

— Perder tempo com bobagem?

— E a televisão, o que é?

— Sim, mas aí é a bobagem dos outros. A gente só assiste. Um falar com o outro, assim, ao vivo... Sei não...

— Vamos ter que improvisar nossa própria bobagem.

— Então começa você.

— Gostei do seu cabelo assim.

— Ele está assim há meses, Eduardo. Você é que não tinha...

— Geraldo.

— Hein?

— Geraldo. Meu nome não é Eduardo, é Geraldo.

— Desde quando?

— Desde o batismo.

— Espera um pouquinho. O homem com quem eu casei se chamava Eduardo.

— Eu me chamo Geraldo, Maria Ester.

— Geraldo Maria Ester?!

— Não, só Geraldo. Maria Ester é o seu nome.

— Não é não.

— Como não é não?

— Meu nome é Valdusa.

— Você enlouqueceu, Maria Ester?

— Por amor de Deus, Eduardo...

— Geraldo.

— Por amor de Deus, meu nome sempre foi Valdusa. Dusinha, você não se lembra?

— Eu nunca conheci nenhuma Valdusa. Como é que eu posso estar casado com uma mulher que eu nunca... Espera. Valdusa. Não era a mulher do, do... Um de bigode.

— Eduardo.

— Eduardo!

— Exatamente. Eduardo. Você.

— Meu nome é Geraldo, Maria Ester.

— Valdusa. E, pensando bem, que fim levou o seu bigode?

— Eu nunca usei bigode!

— Você é que está querendo me enlouquecer, Eduardo.

— Calma. Vamos com calma.

— Se isto for alguma brincadeira sua...

— Um de nós está maluco. Isso é certo.

— Vamos recapitular. Quando foi que nós casamos?

— Foi no dia, no dia...

— Arrá! Está aí. Você sempre esqueceu o dia do nosso casamento. Prova de que você é o Eduardo e a maluca não sou eu.

— E o bigode? Como é que você explica o bigode?

— Fácil. Você raspou.

— Eu nunca tive bigode, Maria Ester!

— Valdusa!

— Está bom. Calma. Vamos tentar ser racionais. Digamos que o seu nome seja mesmo Valdusa. Você conhece alguma Maria Ester?

— Deixa eu pensar. Maria Ester... Nós não tivemos uma vizinha chamada Maria Ester?

— A única vizinha que eu me lembro é a tal de Valdusa.

— Maria Ester. Claro. Agora me lembrei. E o nome do marido dela era... Jesus!

— O marido se chamava Jesus?

— Não. O marido se chamava Geraldo.

— Geraldo...

— É.

— Era eu. Ainda sou eu.

— Parece...

— Como foi que isso aconteceu?

— As casas geminadas, lembra?

— A rotina de todos os dias...

— Marido chega em casa cansado, marido e mulher mal se olham...

— Um dia marido cansado erra de porta, mulher nem nota...

— Há quanto tempo vocês se mudaram daqui?

— Nós nunca nos mudamos. Você e o Eduardo é que se mudaram.

— Eu e o Eduardo, não. A Maria Ester e o Eduardo.

— É mesmo...

— Será que eles já se deram conta?

— Só se a televisão deles também quebrou.

O pé da Ana Luiza

Estavam jantando e o Marcelo sentiu alguma coisa acariciar a sua perna. Lentamente, do calcanhar até a batata. Ou a "batata" é tudo, do calcanhar até o vão atrás do joelho? Não importa. Alguma coisa acariciou a perna de Marcelo por trás. Lentamente.

Se lhe pedissem uma definição rápida e lógica para o que tinha acabado de acontecer, Marcelo diria: foi o pé da Ana Luiza. Só podia ser. Ana Luiza estava sentada do seu lado esquerdo (o lado da perna acariciada). Só ela podia alcançar a sua perna com seu pé sem se esticar. E Marcelo não tinha dúvida. Sua perna esquerda fora acariciada, lentamente, por um pé. Isso era definitivo: um pé. De quem? Se tivesse que responder ali, na batata (falando em batatas), Marcelo diria: o da Ana Luiza. Ele (o pé) entrara por baixo da sua calça, subira até a dobra da perna, depois descera. Lentamente. Para fazer isso, a Julinha, sentada à sua frente, teria de estender a perna a ponto de quase desaparecer debaixo da mesa, causando espanto e consternação. E, mesmo, a Julinha era sua mulher. Por que ela faria aquilo? Também não podia ser o pé do Alemão. Ora, o Alemão. Fora a Ana Luiza. Se lhe perguntassem ali, naquele instante, ele não hesitaria. O pé da Ana Luiza. Nenhuma dúvida.

Mas, se não fosse? Podia ter sido, sei lá, o gato. O rabo do gato. Difícil confundir um rabo de gato com um pé subindo por baixo da sua calça, mas a alternativa era aceitar que a Ana Luiza, logo a Ana Luiza, estava acariciando a sua perna. O gato era preferível, o gato seria um alívio. A Ana Luiza acariciando a sua perna, depois de todos aqueles anos, inauguraria tanta coisa diferente e surpreendente na vida deles todos, dele, da Julinha, do Alemão, marido da Ana Luiza, seu companheiro no tênis, que precisava ser o gato. O gato, rezou Marcelo, em silêncio. Por favor, o gato. Não o pé da Ana Luiza. Não o pé da mulher do Alemão, seu melhor amigo, seu companheiro no tênis. Qualquer coisa menos o pé da Ana Luiza. Um fantasma e não o pé da Ana Luiza!

Marcelo olhou para Ana Luiza. Ela estava falando com a Julinha. Perfil para ele. Ela não é feia, pensou Marcelo. Um pouco menos de papada e é até papável. Mas o que é que eu estou pensando?

A mulher do Alemão! Nunca notara os seus seios. Mesmo na praia, nunca notara os seios altos e cheios da mulher do Alemão. Altos, cheios e juntos, como ele gostava. Cinco para uma em vez de quinze para as três, como os da Julinha. Tentou se lembrar das pernas da Ana Luiza. Eram curtas, tinha quase certeza de que eram curtas. Ela não conseguiria alcançar sua perna com o pé. Não sem se esticar por baixo da mesa e causar espanto e consternação. Fora o gato. Estava resolvido. Fora o gato.

Mas examinemos a alternativa, pensou Marcelo. Ana Luiza acariciou minha perna com o seu pé. Não foi, eliminemos a hipocrisia, um gesto amigável. Gestos amigáveis são feitos com as mãos e por cima da mesa. Gestos amigáveis são os beijos que nos damos, eu e ela, a Julinha e o Alemão. Não há notícia de um gesto apenas amigável feito com o pé por baixo da mesa. Pé acariciando perna por baixo da mesa só quer dizer uma coisa. O quê, exatamente?

A Ana Luiza está a fim. De uma hora para outra, depois de o quê? Doze, 15 anos de amizade. A Ana Luiza, que parecia me dar tanta atenção quanto eu dava aos seus seios altos e cheios, enfiou o pé por baixo da minha calça. Daqui a pouco ela me olhará e seus olhos completarão o que o pé começou a dizer. Que ela está a fim. Que, depois de todos estes anos, ela quer trocar a amizade por outra coisa, um caso, uma paixão. Que precisamos nos encontrar, longe do Alemão e da Julinha. Que nossas vidas mudarão por completo. Que adeus parceria no tênis. Que adeus temporadas na praia, quando as crianças se entendiam tão bem. Que adeus jantares alternados na casa de um e do outro casal, quando o Alemão cozinhava. Nunca mais as excursões de fim de semana. Nunca mais as noitadas de buraco e risadas. Meu Deus, nunca mais os churrascos do Alemão! A costela marinada do Alemão! O gato. Tinha de ser o gato. Ela está se virando para mim. Agora. Tem de ser agora.

— Falando nisso, que fim levou o Clodovil?

Clodovil era o nome do gato.

— Ficou maluco, Marcelo? — disse Julinha. — Ninguém estava falando em gato.

— É que eu não vi o Clodovil...

— Ele está no veterinário. Andava nervoso demais.

Pronto, pensou Marcelo. Resolvido. Não foi o gato. Foi o pé da Ana Luiza. E agora?

— As crianças deixam ele nervoso — disse o Alemão.

— Ele precisa ser castrado — disse Ana Luiza.

E agora? Não havia mais dúvida. A Ana Luiza estava olhando para Marcelo. A Ana Luiza ia falar. A Ana Luiza disse:

— Mais?

— Hein?

— Mais carne?

— Ah, quero. Você desta vez se superou, hein, Alemão? Esta costela está se desmanchando.

Eu posso simplesmente ignorar o pé da Ana Luiza, pensou Marcelo. Não acusar, fingir que não houve nada. O que pode acontecer? Ela desiste. Ou ela insiste, e eu insisto que não é comigo. Ela compreenderá que eu não quero, que eu não estou a fim. Que nossa amizade é mais valiosa do que o quê? Do que encontros furtivos, minha cabeça enterrada entre seus seios altos e cheios, suas pernas (como são suas pernas?) em volta da minha cintura, o que será que eu estou perdendo? Quem sabe... Quem sabe eu topo e nada muda? Ninguém fica sabendo que nós somos amantes, a amizade continua, os fins de semana, os jantares, tudo? Não. Eu não conseguiria enfrentar o Alemão. Meu jogo de tênis seria prejudicado, a culpa fatalmente afetaria o meu saque e o meu jogo de rede. Ele desconfiaria. A Julinha descobriria, as crianças... Não. Definitivamente, não.

Marcelo sentiu o pé da Ana Luiza acariciando sua perna outra vez. Chutou o pé da Ana Luiza.

— Alemão, Alemão — disse Marcelo. — Esta sua costela...

Omelete

Pior foi a Jacinta, que perdeu o marido para uma omelete. Quando alguém — desinformado ou desalmado — perguntava perto da Jacinta se "omelete" era masculino ou feminino, ela respondia "feminino, feminino". Depois suspirava e dizia: "Eu é que sei." As amigas tentaram convencer Jacinta de que o Luiz Augusto não merecia um suspiro. O que se poderia dizer de um homem que tinha abandonado a mulher de dez anos de casamento, para não falar em cotas num condomínio horizontal da Zona Sul, por uma omelete benfeita? Mas Jacinta não se conformava. Foi procurar um curso de culinária. Pediu aulas particulares e específicas. Queria aprender a fazer omelete.

A professora começou com um histórico da omelete e sua força metafórica. A omelete era muito citada por revolucionários de todas as épocas para defender o radicalismo. Uma omelete justificava a violência feita aos ovos. Uma omelete... Mas Jacinta não queria saber da história da omelete. Queria aprender a fazer.

— Bem — disse a professora —, a omelete perfeita... — Eu sei, eu sei — interrompeu Jacinta.

Sabia como era a omelete perfeita. Durante todos os seus anos de casada tinha ouvido a descrição da omelete perfeita. Luiz Augusto não se cansava de repetir que a omelete perfeita devia ser tostada por fora e úmida por dentro. Que seu interior devia se desmanchar, e espalhar-se pelo prato como baba. *"Baveuse,* entende? *Baveuse."* Durante dez anos, Jacinta ouvira críticas à sua omelete. Quando Luiz Augusto anunciara que encontrara uma mulher que fazia omeletes perfeitas — melhores, inclusive, que as do Caio Ribeiro — e que iria morar com ela, acrescentara:

— Você não pode dizer que não lhe dei todas as chances, Cintinha.

Jacinta sabia a teoria da omelete perfeita. Queria a prática.

Precisava aprender. *"Baveuse,* entende? *Baveuse,* entende? *Baveuse.*

O curso intensivo durou duas semanas. No fim do curso, a professora recomendou que Jacinta comprasse uma frigideira especial, de ferro, para garantir a omelete perfeita. Não havia como errar.

Jacinta telefonou para a casa de Beatriz e pediu para falar com Luiz Augusto.

— Precisamos conversar.

— Está bem.

— Aqui.

— Certo.

— Outra coisa.

— O quê?

— Não coma nada antes.

Quando Luiz Augusto chegou, Jacinta não disse uma palavra.

Apontou para a mesa, onde estava posto um lugar. Luiz Augusto sentou-se. Jacinta desapareceu na cozinha. Reapareceu 15 minutos depois com uma omelete dentro de uma frigideira nova. Serviu a omelete e ficou esperando, de pé, enquanto Luiz Augusto dava a primeira garfada. Luiz Augusto disse:

— Você chama isto de *baveuse?*

— Não — disse Jacinta —, eu chamo *isto* de *baveuse.*

E acertou com a frigideira a cabeça de Luiz Augusto, que caiu morto com a cara na omelete.

Açúcar emprestado

Vizinhos de porta, ele o 41 e ela o 42.

Primeiro lance: ela. Bateu na porta dele e pediu açúcar emprestado para fazer um pudim.

Segundo lance: ela de novo. Bateu na porta dele e perguntou se ele não queria provar o pudim. Afinal, era coautor.

Terceiro lance: ele. Hesitou, depois perguntou se ela não queria entrar. Ela entrou, equilibrando o prato do pudim longe do peito para não derramar a calda.

— Não repara a bagunça...

— O meu é pior.

— Você mora sozinha?

Sabia que ela morava sozinha. Perguntara ao porteiro logo depois de se mudar. A do 42? Dona Celinha? Mora sozinha. Morava com a mãe mas a mãe morreu. Boa moça. Um pouco... E o porteiro fizera um gesto indefinido com a mão, sem dizer o que a moça era. Fosse o que fosse, era só um pouco.

A conversa começou com apresentações e troca de informações — "Nélio", "Celinha", "Capricórnio", "Leão", "Daqui mesmo", "Eu também" — e continuou enquanto comiam todo o pudim, que estava ótimo. Mas quando ela disse "Como a gente se entendeu bem, né?", cobrindo a mão dele com a dela, ele decidiu dar um lance preventivo e declarou que não queria envolvimentos em sua vida. Queria ser um homem sem envolvimentos. Entende? Sua decisão de vida era não ter envolvimentos.

— Como, envolvimentos? — perguntou ela.

— Envolvimentos — explicou ele.

Antes de sair, com a cara amarrada, ela disse:

— Me empresta uma gilete?

— Gilete? Eu não uso gilete.

— Não faz mal, eu tenho em casa.

E saiu, pisando firme e sem olhar para trás.

Uma hora depois, bateu na porta.

— Vim buscar o prato do pudim.

Ele viu que ela tinha cortado os pulsos. O sangue pingava na laje do corredor.

— O que é isso?!

E todo o tempo, enquanto ele estancava a sangueira da melhor maneira possível, e a colocava no seu carro, e a levava em disparada para o hospital, ela só repetia:

— Ué, não era você que não queria envolvimentos? Não era você?

Namorados

O melhor do namoro, claro, é o ridículo. Mas o Alcyr se passara. Chegara a um extremo de ridículo. Chegara a uma apoteose do ridículo. Ou como você chamaria ter que imitar um cachorro para não descobrirem que era ele no quintal, louco de ciúmes, embaixo da janela da namorada, numa fria noite de agosto? O Alcyr exagerara. Alcyr, que Suzana chamava de Ipsilone, porque aquela fora a primeira coisa que ele lhe dissera.

— Ipsilone.

— Hein?

— Alcyr. É com ipsilone.

— Ah.

Ela estava preenchendo um formulário para dar entrada no seu pedido, algo a ver com um crediário, não interessa, e precisava de todos os seus dados.

— Estado civil?

— Solteiríssimo.

Daí para a pergunta "Que horas tu larga?" e o convite para tomarem um chope foi um pulo, e do chope para o namoro firme foi outro. Suzana ouvia cantadas e convites o dia inteiro, não era dessas, mas simpatizara com o Alcyr. O Alcyr parecia não ser como os outros. E o ipsilone, sei lá. O ipsilone no nome dele lhe dava uma certa segurança.

— Desliga você.

— Não, desliga você.

— Você.

— Você.

— Então vamos desligar juntos.

— Tá. Conta até três.

— Um... Dois... Dois e meio...

Ridículo porque não era você. Ou era você, e só agora, visto desta distância, ficou ridículo. Porque na hora não era não. Na hora nem os apelidos secretos que vocês tinham um para o outro, lembra?, eram ridículos. Pisilone. Suzuca. Alcyzanzão. Surussuzuca. Gongonha (Gongonha!). Mamosa. Purupupuca...

Não havia coisa melhor do que passar tardes inteiras num sofá, olho no olho, dizendo:

— As dondozeira ama os dondozeiro?

— Ama.

— Mas os dondozeiro ama as dondozeira mais do que as dondozeira ama os dondozeiro.

— Na-na-não. As dondozeira ama os dondozeiro mais do que, etc.

E, entremeando o diálogo, longos beijos, profundos beijos, beijos mais do que de língua, beijos de amígdalas, beijos catetéricos.

Tardes inteiras. Confesse: ridículo só porque nunca mais. Depois do ridículo, o melhor do namoro são as brigas. Aconteceu com o Ipsilone e a Suzana. Brigaram e brigaram feio. Várias vezes.

Aí ela ligava para ele e não dizia nada, e ele:

— Eu sei que é você. Está me controlando, é? O que é, se arrependeu?

Ou ele ligava para ela e, assim que ela atendia, desligava.

Quem diz que nunca, como quem não quer nada, arquitetou um encontro casual com a ex ou o ex só para ver se ela ou ele está com alguém, ou para fingir que não vê, ou para ver e ignorar, ou para dar um abano amistoso querendo dizer que ela ou ele agora significa tão pouco que podem até ser amigos, está mentindo. Está mentindo.

E melhor do que as brigas são as reconciliações. Beijos ainda mais profundos, apelidos ainda mais lamentáveis, vistos de longe. A gente brigava mesmo era para se reconciliar depois, lembra? Oito entre dez namorados transam pela primeira vez fazendo as pazes. O IBGE tem as estatísticas.

Na última briga deles, a Suzana conseguiu fazer chegar aos ouvidos do Alcyr que estava saindo com outro. Um colega do trabalho. E o Alcyr fez a coisa sensata, o que qualquer um de nós faria. Passou a espionar a Suzana escondido. Começou a faltar a sua aula de especialização em ciências contábeis às 6 para ficar atrás de uma carrocinha de pipoca, vendo se a Suzana saía do trabalho com o outro. Rondava a casa da Suzana. Uma noite, uma sexta-feira, pensou ver a Suzana entrar em casa com um homem — e não viu o homem sair da casa. Quatro da manhã e o Alcyr abraçado a uma árvore, tremendo de frio, de olho fixo na porta. Todas as luzes da casa apagadas e o Alcyr pensando, quase chorando: não pode ser, não pode ser. Como é que o seu Amorim e a dona Laurita deixam? Eu, eles botavam na rua às onze e meia. O outro, deixam dormir com a Suzana na sua própria cama. Porque a Suzana só podia estar na cama com o outro. Àquela hora, não podiam estar mais no sofá, ela chamando ele de Dondozeiro. Ou podia? Não podia. Podia, não podia, o Alcyr não se aguentou, pulou a cerca, se agachou sob a janela da Suzana, bateu com o joelho em alguma coisa, gritou, e quando o seu Amorim apareceu na porta dos fundos e perguntou "Quem é que está aí?", tentou imitar um cachorro. Não convenceu ninguém, claro, tanto que, dez minutos depois, estava sentado na mesa da cozinha, tiritando, as calças sujas de barro, tomando o café da dona Laurita com uma mão, e o outro braço em volta da cintura da Suzana. Sim, reconciliados, abraçados, emocionados. Pois Suzana se enternecera com o ciúme do seu Ipsilonezinho. Não havia outro nenhum, ela fora à farmácia com o pai, o homem que ele vira entrar na casa com ela era o seu Amorim, bobo! Mas o que realmente conquistara Suzana fora o ganido do Alcyr, tentando imitar um cachorro. Só um homem muito apaixonado faria um ridículo daqueles. Em dois meses estavam casados.

Até hoje a Suzana conta a história do Alcyr ganindo no quintal, por mais que ele peça para ela não contar. As crianças já cansaram de ouvir a história, os amigos ouvem um pouco sem jeito. E a Suzana e o Alcyr não se tratam mais por apelidos. Quando fala nele, ela diz "Esse daí". Mas que foi bom, foi.

Beijinho, beijinho

Na festa dos 34 anos da Clarinha, o seu marido, Amaro, fez um discurso muito aplaudido. Declarou que não trocava a sua Clarinha por duas de 17, sabiam por quê? Porque a Clarinha era duas de 17. Tinha a vivacidade, o frescor e, deduzia-se, o fervor sexual somado de duas adolescentes.

No carro, depois da festa, o Marinho comentou:

— Bonito, o discurso do Amaro.

— Não dou dois meses para eles se separarem — disse a Nair.

— O quê?

— Marido, quando começa a elogiar muito a mulher...

Nair deixou no ar todas as implicações da duplicidade masculina.

— Mas eles parecem cada vez mais apaixonados — protestou Marinho.

— Exatamente. Apaixonados demais. Lembra o que eu disse quando a Janice e o Pedrão começaram a andar de mãos dadas?

— É mesmo...

— Vinte anos de casados e de repente começam a andar de mãos dadas? Como namorados? Ali tinha coisa.

— É mesmo...

— E não deu outra. Divórcio e litigioso.

— Você tem razão.

— E o Mário com a coitada da Marli? De uma hora para outra? Beijinho, beijinho, "mulher formidável" e descobriram que ele estava de caso com a gerente da loja dela.

— Você acha, então, que o Amaro tem outra?

— Ou outras.

Nem duas de 17 estavam fora de cogitação.

— Acho que você tem razão, Nair. Nenhum homem faz uma declaração daquelas assim, sem outros motivos.

— Eu sei que tenho razão.

— Você tem sempre razão, Nair.

— Sempre, não sei.

— Sempre. Você é inteligente, sensata, perspicaz e invariavelmente acerta na mosca. Você é uma mulher formidável, Nair.

Durante algum tempo, só se ouviu, dentro do carro, o chiado dos pneus no asfalto. Aí Nair perguntou:

— Quem é ela, Marinho?

A conta

Dois casais de amigos. Acabam de jantar num bom restaurante. Um dos homens faz sinal para o garçom.

— Companheiro...

Faz o tradicional gesto de escrever no ar com uma caneta fantasma.

— A conta.

— Deixa comigo — diz o outro homem, levando a mão ao bolso detrás para pegar a carteira. O outro o detém.

— Pare. Não se mexa. A conta é minha.

— De maneira nenhuma.

— Sim senhor. Faço questão.

— Que esperança. Pago eu.

— Pago eu e está acabado.

Quando chega o garçom, o outro dá um pulo e pega a conta da sua mão.

— Epa, dá aqui.

— Não dou. Eu é que pago.

— Não banque o idiota. Me dá essa conta.

— Não dou.

— Quer fazer o favor?

— Não amola.

As mulheres se divertem com a discussão. Uma delas sugere:

— Quem sabe a gente racha?

— Não. Fui eu que pedi a conta, eu é que pago. Dá aqui.

— Não dou.

— Se você tocar nessa carteira...

O outro:

— Eu ganho mais que você.

— Quem foi que disse?

— Brincadeira, pô.

Os dois ficam sérios, se encarando. Estão de pé. O garçom intervém, só para cortar o silêncio:

— O serviço não está incluído.

— Você vai me dar essa conta?

— Não me diga que você ficou sentido...

— Não interessa. Me dá essa conta.

— Está bem, está bem. Vamos dividir.

— Não vamos dividir nada. Eu pago.

O outro olha em volta. Todo o restaurante parou para acompanhar a briga.

— Vocês são testemunhas. Eu tentei transigir e...

O outro aproveita e mergulha para pegar a conta. Os dois se engalfinham. Caem por cima da mesa. As mulheres gritam. O garçom tenta apartar. Vem o gerente.

— Senhores, por favor!

As pessoas erguem-se de suas mesas e se achatam contra as paredes. Os dois rolam pelo chão. Quando, finalmente, são separados, o que pegou a conta do garçom levanta-se com a conta ainda na mão, triunfante. Com a outra mão pega uma cadeira e ameaça os que o cercam.

— Para trás. Para trás.

O outro está bufando.

— Me dá essa conta!

— Vem buscar!

— Cachorro!

— É você.

O gerente dirige-se para o telefone.

— Cretino!

— Cretino é você!

Um garçom tenta pegar o que segura a conta e a cadeira por trás mas é repelido com uma cotovelada. O outro salta com os dois pés no seu peito. Alguém tenta acertar o que pulou com uma mesa, que se espatifa no chão. Uma garrafa voa pelo ar.

— Segura!

— Eles estão indo para a cozinha!

Os dois entram na cozinha, agarrados. As duas mulheres vão atrás, implorando para que parem. Eles trocam socos e pontapés.

— Não, o facão não!

Chega a polícia.

***

Uma semana depois, um visita o outro no hospital, arrastado pela mulher.

— Ele veio pedir desculpa.

— Não precisava.

— Precisava, sim. Onde se viu? Dois amigos de tantos anos...

— Que papelão.

Os dois começam a rir.

— Foi um papelão mesmo...

— Nós somos uns cavalos.

— Desculpe, viu?

— O que é isso. Eu é que peço desculpa.

— Como é que você está?

— Só dói um pouco aqui, no corte. E você?

— Olha o meu olho...

— Somos uns cavalos.

Entra um homem no quarto e apresenta-se como representante do restaurante. Questão de uma conta por estragos e danos... Os dois se entreolham e sorriem.

— Demolimos o lugar...

— Parece que é.

— Dá aqui essa conta que eu pago tudo.

— Por que você? Eu ajudei a demolir.

— A culpa foi minha. Eu pago.

— De maneira nenhuma.

— Faço questão.

— Nem pensar. Pago eu.

— Pago eu e está acabado.

— Não toque nessa carteira!

Conto de verão nº 3: se estiver muito chato

É importante as pessoas combinarem como se comportarão em determinadas situações sociais para evitar surpresas. Aconteceu de um casal ser convidado a passar um fim de semana numa casa e chegar ao local sem a menor ideia do que os esperava. A casa era grande e bonita, o lugar era aprazível, mas o homem — digamos que se chamava João — teve um pressentimento e deteve a mão da mulher, Maria, antes que ela tocasse a campainha.

— Espere. Você sabe que nós podemos estar entrando numa história.

— Como, história?

— Não sabemos nada desta casa e de quem vai estar aí. E se entrarmos numa história infantil?

— Que história infantil?

— Sei lá. Não tem uma da donzela que chega numa casa de ursos e acaba dormindo na cama de um deles?

— Eu conheço a dos anõezinhos. Branca de Neve. A casa é de sete anões, e Branca de Neve ficou morando com eles, até que a bruxa bate na porta com uma maçã envenenada.

— Vamos combinar o seguinte. Você só dorme na cama comigo e, se aparecer um anão propondo qualquer tipo de arranjo doméstico mais prolongado, você dá uma desculpa qualquer. Diz que tem dentista na segunda. E em hipótese alguma chegue perto da porta, se baterem.

— Mas, se for a história da Branca de Neve, tem um final feliz. Ela ficou com um príncipe.

— Não chegue perto de nenhum príncipe, também.

— Está bem... Vamos entrar?

— Espere. Nós podemos estar entrando numa história do Tchekhov.

— Tchekhov?

— Russo. Século 19. Grupo de pessoas reunidas numa casa de campo durante um fim de semana de verão era com ele.

— Como vamos fazer para saber se é uma história do Tchekhov ou não?

— Se todos tiverem nomes russos, falarem muito, parecerem não dizer nada mas forem se revelando aos poucos, é do Tchekhov.

— Há algum perigo?

— De maçãs envenenadas, não. Pelo contrário, comeremos muito bem. E, se surgir algum nobre, será certamente decadente e, provavelmente, impotente. O único risco é sairmos daqui conhecendo mais sobre a condição humana do que precisamos.

— Então, se estiver muito chato, eu faço um sinal, você diz que se lembrou que deixamos o gás ligado e damos o fora.

— Combinado.

— Vamos?

— Espere. E se estivermos numa história da Agatha Christie? Ela também gostava de grupos heterogêneos em casas de campo, onde havia um crime e todos eram suspeitos.

— Pode ser um fim de semana excitante.

— Não se um de nós for a vítima.

— O que fazemos?

— Vamos entrar. Se todos tiverem nomes como Nigel ou Milicent, o mordomo parecer culpado demais e estiver faltando um dos ferros da lareira, não damos desculpa nenhuma e saímos correndo.

— Certo. Vamos?

— Espere. Também pode ser uma história do Marquês de Sade.

— Marquês de Sade?!

— Um grupo de devassos reunidos numa mansão com virgens adolescentes e prostitutas, para rituais de deboche e tortura.

— Como devemos nos comportar?

— Valem as mesmas instruções da história infantil. Nada de dormir na cama de outro e não aceite proposta de nenhum anão.

— E você, fique longe das virgens adolescentes.

— Já começou a me controlar?

Quinze anos

Durante 15 anos Gustavo conseguiu manter sua segunda família em segredo. Sua mulher Isabel, que ele chamava carinhosamente de Belinha, nunca desconfiou de nada. Nunca desconfiou que, nas terças e sextas, em vez de ficar para as reuniões do Grupo de Discussão na firma, ele ia visitar a outra. O tal Grupo de Discussão, segundo Gustavo, começara a se reunir para tratar do momento delicado que atravessava a firma. Isabel nunca se interessou em saber que momento delicado era aquele que durava 15 anos. No fim das tardes de domingo, Gustavo dizia que ia visitar seu velho e sábio amigo Odorico, para "beber um pouco daquela fonte". Ia, na verdade, terminar o domingo com a outra família. Quando Isabel falava em acompanhá-lo nas visitas ao Odorico, Gustavo dizia que o amigo estava péssimo, que Isabel não gostaria de vê-lo naquele estado, que ele até cheirava mal, que estava nas últimas. Isabel nunca estranhou que o Odorico passasse 15 anos nas últimas.

Mas, um dia, tinha que acontecer. E aconteceu porque, com os quatro filhos criados, casados e fora de casa, com a casa vazia e nada para fazer, Isabel decidiu dar mais atenção ao marido. Cuidar da sua roupa, dos seus botões, da sua aparência. E um dia mostrou ao marido um cartãozinho azul com a foto de uma menina que descobrira no bolso do seu paletó e perguntou:

— Quem é a Edinara?

O marido, que estava tomando café, engasgou, teve um acesso de tosse, levantou-se, derrubou a cadeira e quase derrubou a mesa antes de controlar a tosse e perguntar:

— Que-quem?!

— Edinara. "Lembrança dos meus 15 anos. Edinara." Estava no bolso do seu paletó.

Gustavo ficou parado, olhando fixo para Isabel. Resistindo a vários impulsos. O primeiro, o de dar um soco na própria cabeça. Como pudera ficar com um cartão do aniversário da Edinara no bolso? A única filha em 15 anos. O segundo impulso foi o de inventar uma história. A filha de alguém lá da firma. Uma neta do Odorico. O terceiro foi o de ganhar tempo. Perguntar "Que paletó?", "Que bolso?". Ou simular um ataque cardíaco e um estado catatônico de dois dias, para pensar numa história. Acabou dizendo a verdade.

— É minha filha.

Contou tudo. Despejou os 15 anos na frente da mulher. Não havia reuniões do Grupo de Discussão. Ele não visitava o Odorico, que morrera em 84. Tinha outra família, era isso. Outra mulher e três filhos. Edinara, que recém fizera 15 anos, Edilisa, a do meio, com 12 anos, e Edilson, o caçula, com oito. A mulher se chamava... Mas, em vez do nome da outra, Gustavo gritou "Belinha", porque Isabel acabara de se atirar de cabeça contra a parede.

Depois que Isabel voltou a si e o médico foi embora, Gustavo retomou a confissão, sem olhar nos olhos da mulher com a cabeça enfaixada. A outra se chamava Augusta. Era uma ótima pessoa. Tinham se conhecido no trabalho. Aliás, seu relacionamento se tornara mais estreito durante as reuniões do Grupo de Discussão, que durara um mês. As crianças também eram ótimas. O Edilson era um... Mas Gustavo teve que parar outra vez, porque Isabel começara a fazer um ruído baixinho, que tanto podia ser choro como o motor de uma motocicleta em ponto morto. Obviamente, não queria ouvir mais nada.

Nos dias que se seguiram, os dois não se falaram. Gustavo manteve sua rotina. Às terças, sextas e aos domingos, ia para a outra casa. Voltava tarde da noite. Isabel ficava sozinha com a empregada. A casa ficara enorme e vazia depois da saída dos filhos. Isabel tentou reagir. Começou a sair, a fazer compras. Mas não sabia mais nem sair sozinha nem fazer compras para si mesma. Sempre vivera para os filhos e para a casa.

Depois de um mês de silêncio, num domingo, quando Gustavo preparava-se para sair de casa, Isabel disse:

— Me leva junto.

— O quê?!

— Eu quero ir junto. Não aguento mais ficar sozinha nesta casa.

— Mas Belinha...

Não teve jeito. Isabel tanto insistiu, e o remorso do Gustavo era tamanho, que ele acabou concordando. O encontro das duas mulheres foi difícil, e o pior foi explicar para as crianças. Mas no fim da noite, quando o Edilson pegou a Isabel pela mão e a levou para ver sua coleção de Batman no quarto, todos estavam mais à vontade. No carro, voltando para casa, Isabel comentou que o Edilson era mesmo um doce, a Edilisa estava um pouco magrinha para a idade e a Edinara era uma beleza de menina.

— Mas vamos ter que corrigir aquela postura.

Isabel também tinha uma ideia para redecorar a casa com tons mais quentes.

O tirano

Higino era o que se chamava de um rapaz "bem-apessoado", em contraste com a sua namorada Naralei, que tinha um nariz que só podia ser chamado de hediondo, como certos crimes. Ninguém entendia por que o simpático e talentoso Higino, que podia ser o que quisesse na vida, namorava Naralei, que era tudo que ele não era.

— Essa mulher vai atrasar sua vida — diziam os amigos.

Higino não queria falar a respeito. Respeitava Naralei, apesar dela tratá-lo, em público, com desprezo. Não só respeitava como casou com ela, para o desgosto dos amigos e parentes. E Naralei confirmou as piores previsões feitas a seu respeito. Atrasou a vida do rapaz, que tinha tudo para ser um jovem executivo de sucesso, menos uma mulher que lhe desse apoio e tivesse inteligência e educação para acompanhá-lo em sua ascensão. E, principalmente, outro nariz.

O nariz era o culpado de tudo. Higino, belíssimo caráter, tinha pena de Naralei por causa do seu nariz. E Naralei infernizava a vida de Higino e de todo o mundo por causa do nariz. Higino era oprimido pelo nariz de Naralei. Vivia, por assim dizer, na sua sombra. o nariz de Naralei dominava a vida do casal. Era um tirano. Quando não humilhava Higino pelo tamanho e formato do seu nariz, Naralei compungia-o com suas lamentações de feia. O que não conseguia pela imposição, conseguia pela coriza.

Não surpreendeu ninguém quando, um dia, convencido que jamais seria alguém na vida, apesar de bem-apessoado e cheio de qualidades, Higino rebelou-se contra o que o oprimia e deu um soco no nariz de Naralei. Depois, tomado de remorso, socorreu-a e, em vez de fugir de casa como pretendia, levou Naralei ao hospital, onde ela teve que ser submetida a uma operação plástica.

O cirurgião plástico, sentindo-se desafiado por aquele nariz colossal e disforme, superou-se e, quando tiraram os curativos, Naralei não apenas estava com um nariz perfeito como bela, inimaginavelmente bela. O nariz antigo, revoltante, impedia que se visse que Naralei tinha um rosto de proporções clássicas. Impedia, até, que se notasse que seu corpo, se não era escultural, era playboiável. Os amigos do casal que iam visitá-la no hospital, atraídos pelo milagre, acabavam cumprimentando não a convalescente, mas o marido. Como se ele tivesse casado de novo. E saíam impressionados, comentando: "Mulherão. Mulherão!"

O próprio cirurgião se encarregou de espalhar a notícia (inclusive ao editor da *Playboy*, que a convidou para posar) e em pouco tempo Naralei estava lançada numa carreira de modelo e, em seguida, de atriz. Fez teste na Globo, vai aparecer numa próxima novela e, aos repórteres que perguntam sobre marido ou namorado, diz que não gosta de falar da sua vida particular, inclusive recusando-se a identificar o rapaz bem-apessoado mas discreto, quase humilde, que cuida das suas roupas, prepara o seu banho e fica sentado tristemente num canto, enquanto ela dá entrevistas ou recebe os fãs.

E quando os amigos sugerem que Naralei devia livrar-se de Higino e da sua tristeza crônica para namorar alguém do meio artístico, alguém que a acompanhe aos lugares da moda, saia bem na *Caras* e não atrase sua vida, Naralei suspira e diz que eles talvez tenham razão mas não pode fazer isso, entende? Não pode. Deve seu sucesso a ele. E todos dizem, com admiração: que mulher. Além de beleza, caráter.

O chiuaua

Engraçado como começam as grandes paixões. A de Inez por Aldo começou quando ele chegou para ela numa festa e disse:

— Sabe que eu acabei ficando com o Chiuaua?

Diante do olhar de absoluta incompreensão de Inez, Aldo bateu com a mão na testa e disse:

— Desculpe! Confundi você com outra.

Ela acabou perguntando que história era aquela do Chiuaua, eles acabaram conversando a noite inteira e Inez acabou apaixonada por Aldo. Paixão de telefonar no meio da noite e pedir para ele dizer alguma coisa só porque estava com saudade da voz dele, e se ele protestasse, mal-humorado, que não tinha nada para dizer àquela hora, pedir:

— Então ronrona.

Paixão que acabou dois meses depois, quando os dois foram a uma festa, se perderam um do outro e, quando Inez encontrou Aldo, ele estava dizendo para uma mulher:

— Sabe que eu acabei ficando com o Chiuaua?

Escolha

Não que a Laurita também não tivesse se enganado um dia, o que podia explicar sua atitude, e os cantos da boca puxados para baixo.

Ele chamava-se Candiota e, semanas antes do casamento marcado, disse para Laurita que iria abandoná-la.

— É outra? — perguntou Laurita, soerguendo-se na cama. (Nota pessoal do autor: sempre gostei muito de "soerguer-se" mas tive poucas chances de usá-lo. Agradeço a oportunidade. Um abraço nos meus familiares. Segue a história.)

— Não — respondeu Candiota. — É Outro.

Como não percebeu o "O" maiúsculo, Laurita pensou que o Candiota, logo o Candiota, um homem tão reto, fosse homossexual.

Mas Candiota apressou-se a corrigir o engano. O Outro era o Senhor.

— Fui chamado pelo Senhor.

Deus o convocara para seu ministério e Candiota não podia ter qualquer distração na sua luta contra o Demônio, muito menos a Laurita, com seus mamilos tipo medalhão. Laurita não casou com o Candiota e com mais ninguém. Renunciou à sua missão, que era reproduzir tantos Candiotas quantos pudesse para ajudar o Brasil, em favor da missão do Candiota, de combater o Demônio em todas as suas manifestações.

Anos depois, num baile de Carnaval, Laurita julgou identificar o Candiota num grupo de homens fantasiados de legionários romanos que circulavam pelo salão com mulheres seminuas sentadas sobre os ombros. Não pôde ter certeza que era o Candiota porque ele era o único que segurava a mulher ao contrário e tinha a cara enterrada entre as suas coxas. Talvez não fosse o Candiota.

Talvez fosse o Candiota e ele estivesse numa missão secreta para o Senhor, em território inimigo. Talvez fosse o Candiota e o Demônio simplesmente o derrotara. Talvez fosse o Candiota e ele tivesse mentido para ela. Eu também não sei. O fato é que foi depois disso que a Laurita ficou assim, amarga e filosófica, e com os cantos da boca puxados para baixo.

Desgraçado

Bernardo tinha desfeito o casamento com Taís, e Alice o encontrou no bar. Alice era a melhor amiga de Taís.

— Essa depressão é particular, ou...

— Não, não — disse Bernardo. — Pode sentar.

Alice sentou-se ao lado de Bernardo e pediu um *gin-fizz*.

Ainda se pede *gin-fizz*? Pediu um uísque. Perguntou:

— E então? O casamento acabou mesmo?

— Acabou.

— Você parece péssimo.

— Eu estou péssimo.

Alice chegou mais perto.

— Essas linhas marcadas do rosto, essa testa enrugada, essas olheiras... Bernardo, sabe que você, péssimo, fica ótimo?

— Isto não é brincadeira, Alice.

— Eu não estou brincando, Bernardo. Há algo num homem deprimido que me excita. Deve ser alguma emanação química. Essência de borocoxô. Sei lá. Eu acho a angústia sexy.

— Eu não me sinto sexy.

— Você pode não sentir, mas está emitindo uma forte mensagem hormonal. E sabe o que todos os meus hormônios estão dizendo neste momento?

— O quê?

— Eu quero esse desgraçado!

— Alice, a Taís era a sua melhor amiga. Você não tem escrúpulo, não?

— Tenho em casa. Escrúpulo, pomada mentolada, arreios... O que você quiser.

— Você sabe que eu vou custar a esquecer a Taís.

— Quanto tempo você calcula?

— Uns seis meses.

— Ótimo! — disse Alice, começando a levantar-se e puxando Bernardo pelo braço. Seis meses de depressão! Com sorte, seria um ano. Ela mal podia esperar para chegar ao apartamento.

Cuidado com o que você pede...

— Pô, Luana.

— Não chega nem perto.

— Mas estamos só você e eu nesta ilha. E estaremos aqui pelo resto das nossas vidas.

— Vai ler o teu livro, vai. Você não disse que era o seu favorito?

— Mas eu já li o livro várias vezes.

— Então vai ouvir o teu disco e me deixa em paz.

— Com que aparelho? Nesta ilha não tem eletricidade. Nesta ilha não tem nada. Só coqueiros. E nós dois.

— A escolha foi sua. Ninguém me perguntou nada.

— Como é que eu ia saber que a pergunta não era hipotética? Que quando o cara me perguntou que livro, que disco e que mulher eu levaria para uma ilha deserta, não era pesquisa? Que ele ia interpretar não como sonho, mas como pedido?

— Você devia ter desconfiado do turbante.

— Se eu soubesse, teria pedido mantimentos. Enlatados, champanhe. Um gerador. Algum tipo de moradia, com som e mordomia. Talvez um bar. Sei lá. E 30 anos menos.

— Azar.

— Pô, Luana. Só um beijinho.

— Não-ô.

Passa o tempo. Eu e Luana Piovani conseguimos sobreviver na ilha deserta, mas a duras penas. Dada a nossa diferença de idade e de preparo físico, é ela que trepa nos coqueiros para pegar o coco e constrói a cabana rudimentar que nos abriga, com camas de capim separadas. Ela reluta, depois acaba cedendo aos meus insistentes pedidos e tira o sutiã, mas só para fazermos um anzol do fecho de metal. Conseguimos pegar alguns peixes, usando mariscos como isca. Como não temos fósforo, fazemos fogo usando o CD do Miles Davis com o Sonny Rollins e o Horace Silver para refletir a luz do sol num monte de gravetos e alimentando o fogo com as páginas de O *grande Gatsby.* Quando termina o papel, usamos capim seco, ou comemos o peixe cru mesmo. Improviso uma armadilha para roedores com o estojo de plástico do CD. Não pegamos nada. A ilha é tão deserta que não tem nem roedor. De noite, tento me aconchegar a Luana, para pelo menos nos protegermos do frio. Ela me repele.

— Não-ô.

Passam-se anos. Um dia, sinto a Luana mordiscando a minha orelha. Me afasto. Mesmo se quisesse alguma coisa com ela, não poderia. Estou anêmico e enfraquecido. A dieta de coco, peixe cru e água da chuva não me fez bem. E a Luana também está péssima. A roupa esfarrapada deixa entrever quase todo o seu corpo curtido pelo sol e o vento, mas eu nem olho mais. Ela insiste na orelha. Diz que já que estaremos lá para sempre e não tem remédio... Eu me recuso. Se estivéssemos em qualquer outro lugar, e não lutando para sobreviver daquele jeito, talvez rolasse alguma coisa entre nós. Mas naquelas condições estressantes, numa ilha deserta... Pego o que sobrou de O *grande Gatsby*, as duas capas apodrecidas, e finjo que leio, para desencorajá-la.

— Pô, Luis Fernando.

— Azar — suspiro.

Os ursos

— Quem é o seu ursão?

— É você.

— Quem é o seu ursanzão?

— É você.

— E quem é a minha ursinha?

— Sou eu.

— Qual é a minha ursinha pequenininha?

— Sou eu.

— Me chama de "meu ursão".

— Meu ursão. Meu ursanzão. Meu ursanzão peludão.

— Eu sou o seu ursanzão peludão, sou?

— É. Meu garanhão.

— Quê?

— Meu garanhanzão.

— Pô, Matilde.

— Que foi?

— "Meu garanhão"?!

— Que que tem?

— Você sabe o que é garanhão?

— Ora, Paulo. Quem não sabe o que é garanhão?

— Antes você não sabia.

— Eu sempre soube o que é garanhão. Não dizia, mas sabia.

— E por que está dizendo agora?

— Que mal há em dizer... Francamente, Paulo!

— Você conheceu algum garanhão?

— Não, Paulo. Não conheci nenhum garanhão pessoalmente. Meu conhecimento é puramente teórico. Aliás, não conheço nenhum urso, também. O único urso que eu conheço é você.

— Não é a mesma coisa. "Ursão" e "Ursinha" é uma coisa nossa. Desde a nossa lua de mel, ou você já esqueceu? Não sei por que você teve que trazer esse garanhão pra nossa cama. Olha aí, espantou os ursos.

— Está bem, eu retiro o garanhão. Fora desta cama, garanhão. Xô, xô.

— Agora não adianta. O mal está feito. Pô, Matilde. Nunca pensei.

— Ei, ursão... Ursanzão... Ursanzão peludão... Eu não quero um garanhão. Eu quero você.

— E você acha que eu não sou um garanhão?

— Não. Você é ursão. Ursão é melhor que garanhão.

— Como é que você sabe? Se você não conhece nenhum garanhão, como é que pode comparar?

— Iiih... Sabe de uma coisa, Paulo? Boa noite.

— Não, agora eu quero saber!

Homem e mulher na cama

Então?

— Foi bom.

— Só "bom"?

— Foi muito bom.

— Numa escala, assim, entre um entardecer em Veneza e uma bala de coco perfeita...

— Uma combinação das duas coisas.

— Desenvolve.

— Foi ótimo. Perfeito.

— Se tivesse trilha sonora, seria Vivaldi ou Rolling Stones?

— Os dois.

— E a minha paradinha? O que você achou da minha paradinha?

— Adorei.

— Descreva, em suas próprias palavras, o que você sentiu na hora da paradinha.

— Bem, eu...

— Espera, espera.

— O que é isso?

— Aqui no gravador. Dia dez do onze, segunda-feira. Número 127, barra 97. Tipo standard, com paradinha. Diga o seu nome, sexo, idade, estado civil, depois descreva como foi maravilhoso.

— Paulo, como você ficou inseguro depois da Matilde...

— Eu, inseguro?!

— Por amor de Deus!

Momento propício

Ele chegou em casa do trabalho mais cedo e, embora não tivesse planejado assim, num momento estrategicamente feliz: depois da saída da empregada e antes da chegada das crianças. A mulher estava na cozinha, arrumando as coisas que trouxera do supermercado.

— E a Luiza?

— Já foi.

— E as crianças?

— Ainda é cedo.

Quando ela levantou a cabeça para ver por que ele ficara parado ao seu lado, em silêncio, deu com o sorriso dele.

— Que foi?

— Vai ser agora.

— Cê tá doido?

— Agora e aqui.

Ele já estava tirando o casaco.

— Cê tá doido.

— Nós nunca fizemos na cozinha.

— Espera um pouquinho...

Ele estava tentando abrir os dois zíperes ao mesmo tempo, dos jeans dela e das próprias calças.

— Espera!

Ela mesma abriu o zíper e despiu os jeans, depois a calcinha. Ele estava pulando num pé só para arrancar as calças.

— Onde?

— Aqui. Na mesa. Vem.

— Não! As compras do super.

— Não interessa.

— Tem ovos!

— Então em cima do fogão.

— Não! Está aceso. A Luiza deixou um...

— Em cima do balcão. Assim. Senta assim e...

— Ui!

— Que foi?

— Sentei em cima dos congelados.

— Vem mais pra cá...

— Cuidado, as facas!

— Ai!

— Cortou?

— Sei lá. No chão. Vai no chão mesmo.

— No chão não. No chão não!

— Então onde?

— Na sala.

— Na sala. Vamos.

— Me carrega.

— O quê?

Ela já estava abraçada nele. Braços e pernas. Ele saiu cambaleando da cozinha. Entre a cozinha e a sala ficava a sala de jantar.

— Vai ser aqui mesmo — disse ele.

Tentou soltá-la em cima da mesa. Não aguentaria carregá-la até a sala. Ela gritou:

— As frutas da mamãe!

Eram frutas de vidro que ornamentavam o centro da mesa.

— Nunca gostei dessas frutas.

— Pra sala! — ordenou ela, pulando no seu pescoço outra vez.

A caminho do sofá, ele tropeçou num brinquedo e quase caiu. O sofá também estava coberto com coisas das crianças. Até uma prancha de surf. Ele tentou levá-la para o tapete, mas ela protestou:

— No chão eu não quero.

— Isso já é preconceito, pô.

— Vamos pro quarto.

— E quarto é lugar pra isto?

Ela descolou-se dele, pôs os pés no chão e voltou para a cozinha.

Ele abriu um espaço, a golpes irritados, entre as coisas das crianças no sofá, e sentou-se. Em cima de um bichinho da Parmalat, que jogou longe. Quando ela reapareceu na porta da cozinha, já tinha vestido os jeans.

— Me ajuda a guardar as compras?

— Não.

— Depois a gente pode usar a mesa...

— Agora é tarde.

Há muito tempo que é tarde, pensou ele. E, mesmo, aquela agitação não fizera nada bem para sua coluna. Gritou para a cozinha:

— Quando vier daí, traz as minhas calças.

O meu ou o seu

Quarto de motel. Homem e mulher na cama. Toca um telefone celular.

— É o meu ou o seu?

— Deve ser o seu.

Homem pega o celular da mesa de cabeceira do seu lado e instrui a mulher:

— Não para.

Depois:

— Alô. Sim. Oi.

Ele diz silenciosamente para a companheira: "É a Dóris, minha mulher." Depois continua:

— Ahn. Sei. Tá. Diz o número dele, que eu não tenho aqui. Estou almoçando.

Silêncio. Depois.

— Oquei. Vou ligar agora mesmo.

Ele desliga o celular, depois digita um número.

— Alô? Sr. Godinho? Awui é o iãiãiã...

Ele tapa o bocal e diz para a mulher:

— Para só um pouquinho.

Depois continua, no telefone.

— Aqui é o Tubino. Certo. Minha mulher disse que o senhor queria falar comigo... Ah, sei. Oquei. Ótimo. Celular? Pegamos a fera. Qual é o número? Pode dizer que eu guardo. Tá... tá... tá... Obrigadão!

O homem desliga o telefone.

— Que história é essa? — pergunta a mulher.

— Esse Godinho é um detetive. Estava fazendo uma investigação pra mim. Desconfiei que a minha mulher tinha um amante. O Godinho descobriu o número do celular dele. Vou dar um susto nesse safado...

O homem digita um número no seu celular. Toca o celular da mulher, na mesa de cabeceira ao seu lado. Ela não se mexe.

— Você não vai atender seu celular?

Ela continua na mesma posição, olhando para o teto. Diz:

— Não.

Tubino espera um pouco, depois desiste, desliga o celular e o recoloca sobre a mesa de cabeceira. O celular da mulher para de tocar.

Os dois ficam deitados lado a lado, olhando para o teto, em si1êncio. Há um espelho no teto e, na verdade, os dois ficam se olhando nos olhos. Ela fala primeiro.

— Por que você tem tanta certeza que é um amante?

— Podem ser muitos?

— Pode ser uma.

Tubino não diz nada. Fica pensando: a Dóris, com aquele seu jeito de sonsa, quem diria. Em algum lugar, alguém cantarola o adágio falso do Albinoni.

Obsessões

Conto de verão nº 4: quando ela aparecer

E tem, claro, a vizinha da frente. A linda vizinha do edifício da frente. A maravilhosa vizinha que anda nua pelo apartamento da frente. A estonteante vizinha da qual se ouvem tantas histórias. O que é estranho, porque ninguém jamais teve uma vizinha da frente assim. Todas as histórias de vizinhas da frente são mentirosas. Inclusive esta.

Principalmente esta.

***

Eu acompanhei todo o processo. A desocupação do apartamento em frente. Os trabalhos de reforma e pintura. As visitas de compradores ou inquilinos em potencial. Faço pesquisa nuclear, contabilidade e escultura em arame em casa — hoje em dia, para sobreviver, *"you haue to turn around"*, como diz o meu amigo Borba — e trabalho perto da janela, de onde vejo todo o movimento da vizinhança. Lembro do dia em que o corretor a levou para conhecer o apartamento, e o meu coração, modo de dizer, parou. Eu nunca tinha visto uma mulher tão bonita, e isso que ela ainda estava vestida. Ela espiou pela janela e sei que me viu. Desconfio. Tenho certeza. Acho que me viu. Talvez não tenha me visto. Mas foi depois de espiar pela janela que ela fechou negócio com o corretor. A pantomima não deixava dúvidas. Eram os gestos típicos de quem decidiu ficar com um apartamento porque gostou da vista, e gosto de pensar que foi o meu perfil de artista, do outro lado da rua, terminando uma águia de arame dourado, que a convenceu. Comentei com o meu amigo Borba que só faltava ela ocupar o apartamento com um marido ou coisa parecida. Mãe. Amiga halterofilista. Mas não. Ela era sozinha. Ela era perfeita.

***

E no primeiro dia nos olhamos nos olhos. Nossos olhares se encontraram no meio da distância entre os dois prédios, cercados de buzinas e outras emanações sujas da rua, alheios a tudo. Como dois equilibristas apaixonados num arame invisível, nossos olhares se encontraram no meio do caminho. Como dois passarinhos se beijando no ar, nossos olhares se encontraram. Tenho quase certeza. Ou ela podia estar olhando para outro andar. No segundo dia, ela passou do banheiro para o quarto envolta numa toalha esvoaçante, no terceiro dia esqueceu a toalha, no quarto dia parou na frente da janela, nua, e o seu olhar me dizia "Hein? Hein?". Falando como artista: hein? E o meu olhar respondia, o coração parado e batendo forte ao mesmo tempo: maravilha. Maravilha! E no quinto dia começaram as mensagens.

Primeiro com as mãos. Os gestos dela de quem pergunta "E agora?". Tentei indicar, numa sequência de gestos, o que eu pretendia fazer. Atravessar a rua correndo (dois dedos imitando a corrida, um dedo erguido na frente representando uma ereção estilizada), subir pelo elevador, bater na sua porta e possuí-la repetidamente durante toda a noite, por todos os meios, mas ela deve ter entendido mal porque em seguida fechou a janela com violência. Segundo o Borba, o gesto dela na janela significara não "O que faremos agora que nos apaixonamos sem nunca nos falarmos, que nossos olhares se amaram no vácuo e você viu a minha nudez, o que faremos agora, artista?" mas sim "Está olhando o quê, seu babaca?". O Borba disse que eu estava variando. Disse *"You are variating, my friend".*

***

O Borba estava errado. No dia seguinte, ela passou nua pela sua janela de novo, me viu na minha janela olhando para a sua, e se aquilo não era amor no seu rosto, se aquilo não era fascinação pelo vizinho da águia dourada, eu não me chamo Seráfico. Ela parou e fez a mímica internacional do telefone. Como se sabe, a mímica telefônica acompanhou o desenvolvimento do aparelho, e você pode dizer a idade de uma pessoa pelo modo como ela imita falar ao telefone: dando manivela ao lado do ouvido (mais de 70 anos), girando um disco fantasma com a ponta de um dedo nostálgico (dos 40 aos 70) ou estendendo um charmoso mindinho e um irresistível polegar ao lado da deslumbrante cabeça como a vizinha da frente (nós, jovens fogosos e sem fio). Entendi. Ela queria meu número de telefone. Procurei freneticamente papel e pincel atômico, acabei usando uma das minhas folhas de cálculo nuclear para escrever o número e mostrar para a minha amada, que fez um sinal de "Espera" e desapareceu. Ela ia me ligar. Eu ia ouvir a sua voz nua. Íamos combinar nosso futuro, nosso caso, camisinha musical ou não, talvez filhos, talvez Bali, ela ia me telefonar! E o telefone tocou. Corri para o telefone como um dia correríamos pela Piazza San Marco, espantando os pombos, e atendi.

***

Era o Borba. Contei o que estava acontecendo e disse que precisava desligar. Ela ia me telefonar a qualquer minuto. O Borba disse "Corta essa". *Cut that thing.* O Borba disse que vizinhas da frente como a que eu descrevia não existem. Vizinhas da frente são um mito. Na versão do Borba, a mímica telefônica dela queria dizer que ela ia telefonar para a polícia para denunciar minha invasão visual de privacidade. Ou pior. Que ia convocar seus dois irmãos, Troncoso e Troncudo, para arrancarem alguns dos meus órgãos. O melhor que eu tenho a fazer, segundo o Borba, é dar no pé. *"Beat the foot! Beat the foot!"* O Borba não entende o amor ou a sensibilidade artística. O Borba não sabe o que houve entre nossos olhares no espaço aéreo ou o efeito do meu perfil. Estou esperando o telefonema dela. Tenho certeza de que não me enganei. Posso ter me enganado. Não me enganei. Já se passou um dia e ela não telefonou. Ainda vai comprar um telefone, é isso. Está na hora do banho dela. Quando ela aparecer, também vou ficar nu na frente da janela e mostrar que sou sincero.

Substituto de mulher

Não podemos viver sem elas. Ou podemos? A verdade é que nos convencemos que nada substitui a mulher, mas passamos a vida inteira substituindo-a, de um jeito ou de outro, por gosto ou necessidade.

A primeira substituição é feita à traição. É quando deixamos de mamar no peito. Quando a mamata, que a gente pensa que vai ser eterna, acaba, arbitrariamente. Não perguntam se queremos, não nos dão escolha. Substituem a nossa primeira mulher por uma mamadeira.

Depois de um período em que temos todas as mulheres de que precisamos — uma mãe em casa, uma avó ou duas, várias professoras e 17 namoradas, embora nenhuma delas saiba disso — chega a adolescência, quando as palavras "sexo oposto" subitamente revelam o seu verdadeiro sentido. Então qualquer coisa substitui mulher. Começando pela própria mão e incluindo hortifrutigranjeiros, móveis estofados, animais e, em alguns casos, até primas.

Depois vem a fase em que qualquer jovem adulto, a não ser que tenha algum problema físico ou seja da TFP, não troca mulher por nada neste mundo — salvo por outros jovens adultos, se sua preferência for essa. Num casamento normal, o único substituto de mulher que um homem admite é outra mulher. Há casos de homens que vão para motéis com bonecas infláveis — inclusive modelos japoneses que, dependendo do botão que você aperta, dizem *"Yes, yes, YES!"* ou buscam coisas do frigobar — mas há quem diga que a mulher inflável não é um substituto, é um aperfeiçoamento.

Triste mesmo é a fase em que o homem se pergunta se a comida congelada e o forno de micro-ondas não tornaram a mulher, finalmente, obsoleta. Para o que mais servia mulher, mesmo? E então ele se lembra. É verdade, servia para outra coisa. Mas sempre pode-se comprar um daqueles bastões com uma mãozinha na ponta para coçar as costas.

Pacote

A primeira coisa que José viu em Aline foi o lábio inferior. Aproximou-se dela e puxou conversa atraído pelo lábio inferior. Era um lábio inferior carnudo e sensual. Protuberante e provocante. José se apaixonou pelo lábio inferior da Aline. Tanto que, pouco depois de vê-lo pela primeira vez, pediu o lábio inferior da Aline em casamento. Queria o lábio inferior da Aline só para ele. Durante a cerimônia de casamento, não despregou os olhos do lábio inferior da Aline. Pensando no prazer e na felicidade que seria ter aquele lábio inferior ao seu lado pelo resto da vida. Mas todo lábio inferior é ele e sua circunstância.

Para cima, Aline tinha um nariz afilado, olhos claros e bonitos, sobrancelhas bem desenhadas, cabelos castanhos. Além, claro, de um lábio superior, não tão cheio como o inferior. Para baixo, um queixo delicado, um pescoço não muito curto, omoplatas não muito salientes, seios pequenos mas bem-proporcionados, umbigo côncavo, sexo coberto por pouco cabelo, mais escuro que o da cabeça, pernas bem torneadas, pés satisfatórios.

Dos pés à cabeça, Aline complementava a contento seu lábio inferior. E o lábio inferior não mentia, descobriu José. Aline era mesmo quente e sensual como seu lábio inferior prometia.

Mas o lábio inferior tinha um passado. Tinha uma infância, tinha amigos, tinha lembranças, preferências, implicâncias, manias, segredos e ressentimentos. José se impacientou quando Aline começou a contar um trauma de sua adolescência, algo envolvendo a mãe e... fez "Sshh" e encostou um dedo nos lábios da Aline, pedindo para ela deixar o assunto para depois da lua de mel. Fez a mesma coisa quando Aline começou a dizer alguma coisa sobre a política econômica do governo. José não pensara naquilo. O lábio inferior tinha uma história, e complexidades — e opiniões!

E tinha mais. Tinha um irmão, Ariosto, demitido do serviço público por conduta inconveniente e que não demorou em pedir ajuda a José para custear uma ação que movia contra o Estado.

Tinha uma mãe com a qual se relacionava mal, e cujas visitas sempre deixavam Aline nervosa, com o lábio inferior tremendo.

José chegou a proibir as visitas da sogra, para impedir aquele atentado ao seu patrimônio, mas a própria Aline pediu que ele reconsiderasse a decisão. Aline tinha um grande sentimento de culpa com relação à mãe, por alguma razão. Além de tudo, era um lábio inferior com culpa.

E havia o pai de Aline, o seu Enésio. Depois de aposentado, ele descobrira uma nova religião, só de aposentados. Eram pessoas que viam vultos e mensagens na tela da televisão, quando as estações saíam do ar. Elas passavam a noite em claro, olhando aquele chuvisco na tela, e se reuniam regularmente para discutir o que tinham visto. O sonho do seu Enésio era visitar uma cidade na Califórnia, que era o centro da nova religião e de onde vinham os livros e os folhetos que ele comprava pelo correio com todo o dinheiro da aposentadoria, para desespero da mãe de Aline, que descarregava sua frustração em Aline, fazendo tremer seu lábio inferior.

Um dia, José e Aline estavam na cama, José mordiscando o lábio inferior de Aline como fazia sempre antes do sexo, quando tocou o telefone e era o seu Enésio, aflito, dizendo que vira na tela da TV que o mundo ia acabar e eles precisavam fugir. Para onde, ele não sabia. Aline ficou nervosa com o telefonema do pai e entrou numa depressão de semanas. Durante as quais, sem acesso ao lábio inferior de Aline e às suas promessas, José meditou muito sobre a vida.

Concluiu que o problema do outro é que o outro é sempre um pacote. Não se pode ter do outro só o que nos apraz e esquecer o *kit* completo. Vejam eu, disse José, para nos explicar sua tristeza. Eu só queria um lábio inferior carnudo e acabei com um universo.

Maria no espelho

Maria espera a visita de um homem. Maria olha-se no espelho. Maria vira-se, para olhar suas pernas por trás. Maria pensa:

"Ihhh, aquela mancha roxa continua ali. Será que ele vai ver? Só se olhar de perto. E ele não vai chegar perto. Com a minha sorte, ele não vai chegar nem perto. Oito e meia. Ele já deve estar chegando. Pode me dizer por que você está de vestido? Preto? Apertado? Vai ser um jantar íntimo, aqui mesmo. Ele vem de jeans e camiseta. Ele só usa jeans e camiseta. Deve dormir de jeans e camiseta. Você está linda. Gostosa. Tesão! Muita pintura. Eu pareço uma palhaça. Ele não vai me reconhecer. De pretinho e de batom, vai pensar que errou de apartamento. 'Desculpe, eu estou procurando a Mariazinha, minha colega de trabalho, muito sem gracinha.' 'Não, sou eu mesma, pode entrar.' 'Você não pode ser a Mariazinha, a Mariazinha que eu conheço não tem pernas.' 'Tem, sim senhor, o senhor é que não tinha notado. E não só pernas. Bunda também.' 'Não! Bunda também?! Não pode ser a Mariazinha que eu...' Barulho do elevador. É ele! Não é ele. Esse homem não vem? Eu disse oito e meia. Meus brócolis vão murchar. Eu vou murchar. O molho pros brócolis! Esqueci! Não esqueci, já fiz. Ele não deve gostar de brócolis. Tem cara de quem não gosta de brócolis. Nem sabe o que é. Eu é que não sei nada sobre ele. Quatro meses trabalhando juntos e eu não sei nada sobre ele. Pode ser um tarado. Você não sabe o que o espera, rapaz. Experiências novas. Excitantes. Brócolis. Com molho! É ele? Não é ele. Se atrasou. Se perdeu. Desistiu. Também, que ideia. Jantarzinho íntimo. A primeira vez que a gente vai se ver fora do escritório e eu já convido pra vir na minha casa. Deve estar pensando que eu não quero perder tempo. 'Boa noite. Boa noite. Trouxe camisinha?' Eu devo estar louca. Jantarzinho íntimo. Velas na mesa. Ele é capaz de comer as velas. Vou mudar de roupa. Me vestir de Mariazinha de novo. Não vai dar tempo. Que livro eu botei na mesa de centro para ele ver que, além de bunda, eu tenho cultura? Já esqueci. Meu Deus, não pode ser Paulo Coelho. Vou botar aquele dos santos barrocos de Minas Gerais, que eu ainda não abri. As velas na mesa saem. Está pensando que isto é um filme? Na vida real não tem vela na mesa. É ele? Não é ele. Ai, meu Deus. Vamos nos organizar. Que impressão eu quero dar? Ele entra e descobre... o quê? Primeira coisa: eu não sou a Mariazinha que ele pensa. A Mariazinha que ele vê no escritório é um disfarce. Eu sou... Mariá. Acento no 'a'. Uma mulher complexa, vital, multifacetada. Grandes pernas, grande cabeça. No trabalho é uma, eficiente, discreta, algo contida. Em casa é outra: feminina, interessante. Folheia livros sobre o barroco mineiro, uma das suas paixões. As outras são balé aquático e física quântica. Experimenta com molhos. Sua pasta de dentes é Crest, comprada numa pequena farmácia do Village que ninguém conhece. A marca das suas calcinhas? Não usa calcinhas. O lugar mais esquisito onde já fez amor foi o confessionário de uma igreja. Barroca. Mineira. Com o padre, só para ter o que confessar. 'O quê? Você, o primeiro homem a entrar neste apartamento que não veio consertar a válvula do banheiro? Ora, não me faça rir. Tenho homens para jantar todas as noites, e guardo seus ossos para chupar no almoço, meu caro.' Vou mudar de roupa. Camiseta e calça solta. Afinal, foi a Mariazinha que convidou ele para jantar, não a Mariá. É preciso um toque de desordem. O barroco mineiro jogado, assim, displicentemente, como se eu estivesse folheando na hora em que ele chegou. Jogado no chão, é melhor. Senão fica tudo muito certinho. Senão ele entra e pensa 'Iiih, tudo muito certinho, ela deve ser neurótica por limpeza e provavelmente frígida'. Está tudo muito no lugar. Acho que vou entortar um quadro. Que mais? A música! Esqueci a música. Ele entra e está tocando o quê? O coro das mulheres búlgaras. Não, coitado, vai se sentir intimidado. Eu de pernas de fora e búlgaras cantando. Búlgaras e brócolis, ele é capaz de sair correndo. Maria Betânia cantando Roberto Carlos. Sei não, pode dar uma ideia errada. A Mariazinha escolheria Roberto. A Mariá escolhe... Phillip Glass. Não, tá doida. Os três tenores. Também não. Keith Jarret? Não. Não tem música. Até a noite se definir. Porque tem noites que vão naturalmente para Frank Sinatra com violinos e noites que vão para Neguinho da Beija-Flor. Noites que acabam em Wagner e noites que acabam em Fagner. Se bem que as minhas noites geralmente acabam em Jô Soares Onze e Meia... Dependendo de como for a noite, mais tarde ponho alguma coisa para a gente dançar. 'Sabe, Mariá? Você me surpreendeu...' 'Ah, sim?' 'Sim. Eu não sabia que você era uma mulher assim tão (pausa) multifacetada...' 'E isso que você ainda não viu todas as minhas (pausa) facetas. E se não chegar logo, não vai ver nenhuma.'

Se ele começar a ficar muito chato, eu ponho as búlgaras a todo volume e corro com ele. Vou deixar a pintura como está. O vestido também. A mancha roxa também. Afinal, quem é você, hein, Maria?

Mariazinha ou Mariá? Quem convidou ele para jantar foi a Mariazinha do escritório. Ele chega esperando encontrar a Mariazinha e encontra uma mulher. Uma estranha mulher de preto. Troco de roupa ou não troco de roupa? Ele deve estar chegando. Decisão rápida: quem abre a porta? Mariazinha ou Mariá? Ai, meu Deus, Mariazinha ou Mariá? Eu posso estar decidindo o meu futuro. Este pode ser o momento mais importante da minha vida. A campainha! É ele! E agora? Posso ser a Mariazinha hoje e deixar a Mariá para depois, quando ele vier outra vez. E se ele não vier outra vez? Pode se decepcionar com a Mariazinha e depois a Mariá não terá uma chance. Mas se eu for a Mariá de saída, pode estragar tudo. Ele pode se assustar, eu posso ser Mariá demais pra ele. Eu posso começar Mariazinha e terminar Mariá. Não, vai deixar ele confuso. Mariazinha ou Mariá, alguém tem que abrir essa porta!

Par ou ímpar? Que bobagem. Uni, duni, tê, quem vai abrir a porta é — você! Mas quem é você? Vou tirar o vestido. Isso. Abro a porta nua, digo que ainda não acabei de me vestir e venho para o quarto decidir quem eu sou. Quantos passos serão daqui até a porta? Se eu der um passo de Mariazinha e um passo de Mariá até a porta, quem chegar na porta ganha. Se quem chegar na porta for a Mariá, ela já tira o vestido e elimina várias etapas. Antes mesmo dos brócolis. Até que enfim, uma solução racional. Lá vou eu. Mariazinha, Mariá, Mariazinha, Mariá, Mariazinha..."

O mistério

Como muitas piadas, essa é perspicaz e cruel. Trata do maior mistério da vida do Homem, que não é o que há depois da morte ou quais são os limites do Universo mas: o que a Mulher está pensando?

***

Alguns homens julgaram ter encontrado uma maneira de resolver o mistério usando a empatia. Como o cérebro feminino é comprovadamente parecido com o cérebro masculino, variando apenas a área do córtex que regula o comportamento em shopping centers, concluíram que bastava ter um pensamento masculino — ou seja, linear e racional — e revertê-lo, para ter a sua versão feminina. A experiência deu resultado mas deixou os homens mais confusos. Passaram a adotar o raciocínio feminino sem ter como aplicá-lo praticamente e perderam o domínio da lógica. Alguns tiveram que ser sacrificados.

***

A maioria dos homens prefere pensar que as mulheres estão pensando o que eles querem que elas estejam pensando. Exemplo.

A prostituta: "Isto sim é que é homem!".

A amante: "Como eu sou feliz, meu Deus!".

A esposa: "Isto sim é que é homem... como eu sou feliz, meu Deus... este teto está precisando de uma mão de tinta... oh, sim, sim, SIM!".

***

De todas as diferenças entre o Homem e a Mulher, entre as psicológicas e as palpáveis, a mais importante do ponto de vista de um relacionamento, assim, maduro, em nível de respeito mútuo pelos sentimentos de cada um num contexto de equilíbrio e espaços emocionais sem dominação ou emasculação simbólicas e principalmente sem a insistência com o desentupidor de pia e o boné de escoteiro, é o seguinte: a Mulher pode simular o orgasmo e o Homem não.

***

Poucos sabem que antigamente, nos colégios femininos, Educação Sexual consistia em cursos de simulação de orgasmo, ministrados por atrizes dramáticas e contorcionistas. Hoje, nas escolas mistas, isto não acontece. A educação sexual é igual para os dois sexos e há incentivo ao orgasmo genuíno, franco e, se possível, simultâneo. Mas o que você acha que elas combinam no banheiro?

***

Não devíamos nos queixar. Há casos pungentes em que um pouco de simulação ajudaria. Há mesmo casos em que o orgasmo simulado é a condição para uma vida a dois feliz, profícua, longa e, principalmente, sem perguntas.

***

Ou como dizia aquele samba do Nelson Sargento, numa adaptação livre:

Nosso amor é tão bonito.

Ela finge que me ama e que todos os seus orgasmos são múltiplos, espasmódicos, gloriosos, com fogos de artifício, revoada de pombos e a orquestra dos Fuzileiros Navais em uniforme de gala.

E eu finjo que acredito.

Novela

Mulher na rua com cachorro preso por uma coleira.

— Vamos lá, Tupi. Faz o teu xixi que eu quero voltar pra casa...

— Como é, Tupi? Ai, minha Santa Paciência, padroeira das empregadas. Eu tinha que trabalhar em apartamento com cachorro. Como é, Tupi, já fez? Não fez nada... Eu estou perdendo a minha novela, Tupi. A hora do xixi tem que ser logo esta. Passa o dia em casa sem fazer nada. Chega a hora da novela, é "Leva o Tupi pra fazer o pipizinho dele...". Pipizinho. Faz, Tupi, qual é o problema? É inibição, é? Eu não olho. É fácil fazer xixi, Tupi. É só levantar a perninha. Mas não, com você é diferente. Tem que ficar meia hora pensando, antes. Faço ou não faço? Pipi *or not* pipi? Tupi, você não é um filósofo. Você é um cachorro! Faz, Tupi! Já fez? Não fez. É contra mim, eu sei. Quando a novela tiver acabado, aí você faz. Vamos lá, Tupi. Pelo amor de Deus. Pelo Brasil, Tupi. Pelo Fernando Henrique. Pela paz mundial e a irmandade entre as nações. Pela sua mãe! Fez? Não fez. Olha aqui, Tupi. Está ficando tarde. Daqui a pouco podem até nos assaltar aqui na rua. Vão levar você. "Passe o cachorro." E aí, o que eu digo em casa? "Levaram o Tupi." "Ele já tinha feito o pipizinho dele?"

Fez, de susto. Benfeito. Como é Tupi? A minha novela, Tupi! Tupi? Isso, agora. Coragem. Muito bem, Tupi! Fez na minha perna, não faz mal. Santa Paciência, padroeira das empregadas, dai-me forças. Vamos para casa, Tupi, que o Antônio Fagundes está nos esperando.

Separações

117 maneiras de o amor acabar

Existem 117 maneiras de o amor acabar, sendo 14 delas de algum modo ligadas ao tédio, 12 a fatores metafísicos (como a conversão de um dos dois a uma religião oriental enquanto o outro não apenas continua cético como faz pouco do seu corte de cabelo), 27 a fatores físicos (pele oleosa etc.) e 30 à interferência de terceiros e/ou familiares, o que dá 83. Sobram 34 maneiras de o amor acabar que entram na categoria de Diversos. Por exemplo:

Heitor acorda de madrugada e dá falta de Ana na cama. Vai ver e ela está no computador.

— Ana, você sabe que horas são?

— Sei, cinco da tarde.

— Não, cinco da madrugada.

— Cinco da tarde em Okinawa. É a melhor hora para falar com jap.arroba.pac.mic.aá.agá.pê.tse.

— Quem?!

— O Tsetsuo. Sabe que a iniciação sexual dele foi com um "cucumber"?

O que é isso?

— Pois é, eu não sei.

— Espera aí. Vocês estão trocando confidências sexuais pela Internet?

— Não, dados biográficos. Sexo com um "cucumber", seja lá o que for, é um dado biográfico.

Ela acessa o dicionário de inglês do computador, murmurando:

— "Cucumber", "cucumber"...

— Ô Ana, você fica aí na frente dessa tela assim... Pelo menos se vista.

— Que bobagem... Heitor, você sabia que "cucukold", em inglês, é marido enganado?

— Ana, ou você desliga esse computador ou...

— Pepino!

— O quê?

— "Cucumber" é pepino. Estranho... Sexo com um pepino?

Ela começa a escrever para o Tsetsuo no teclado, falando enquanto digita: "How... you... make... sex... with... cucumber..."

Heitor se aproxima. Não sabe o que é. Talvez o reflexo da tela iluminada do computador na pele branca de Ana, talvez a própria ideia do "cucumber"... Ele acaricia os seios da mulher.

— Vem pra cama, vem. Larga esse negócio e vem pra caminha com o seu...

Ana o afasta com um cotovelaço, sem tirar os olhos da tela.

— Heitor, como você é... Como você é...

— Como eu sou o quê?

— Pré-eletrônico!

Outro exemplo. Com as perspectivas da promoção e do aumento prometidos, Danilo e Suzana trocam de apartamento. Vão para outra vizinhança, com outro nível. Mas, no primeiro dia no novo apartamento, Suzana sai correndo do quarto, de robe de chambre, e anuncia:

— Tem um homem me espiando!

De uma janela de um dos prédios vizinhos, um homem olha para o apartamento deles, de binóculo. Danilo vai para a janela, furioso — "Tarado! Doente!" — e dá vários socos na palma da mão, mostrando o que faria se pegasse o sem-vergonha. Depois olha melhor e quase pula para trás.

— Meu Deus!

— O que foi?

— É o Almeida! O meu chefe! Eu não sabia que ele morava aqui!

— E agora?

Danilo abana para o homem, amistosamente. Faz um gesto querendo dizer que retira os socos. Transfere os socos para o seu próprio queixo, querendo dizer que é um idiota que merece apanhar. Pensa em procurar o número do Almeida no guia para lhe telefonar e pedir desculpas até se lembrar que eles ainda não têm telefone. Vai buscar uma lanterna e transmite uma mensagem em código Morse, na esperança de que o Almeida também seja ex-escoteiro. "Desculpe. Lamentável engano." E, depois de pensar um pouco: "Eu te amo."

E a todas essas o Almeida na janela, olhando através do binóculo, sem se mexer.

O amor de Suzana acaba quando Danilo a puxa para a frente da janela, afasta a frente do seu robe e diz:

— Abre um pouquinho aqui pro Almeida ver melhor...

Cláusula do elevador

Porque eram precavidos, porque queriam que sua união desse certo, e principalmente porque eram advogados, fizeram um contrato nupcial. Um instrumento particular, só entre os dois, separado das formalidades usuais de um casamento civil. Nele estariam explicitados os deveres e os compromissos de cada um até que a morte — ou o descumprimento de qualquer uma das cláusulas — os separasse.

Passaram boa parte do noivado preparando o documento. Tudo correu bem até chegarem à cláusula que tratava da fidelidade. Ele ponderou, chamando-a de "cara colega", entre risadas (estavam na cama), que a obrigação de ser fiel deveria constar do contrato, claro, desde que a cláusula correspondente permitisse uma certa flexibilidade.

— Vejo que o nobre causídico advoga em sem-vergonhice própria — brincou ela, cutucando-o.

— Não, não — disse ele. — Só acho que devemos levar em consideração as hipóteses heterodoxas. As eventualidades aleatórias. As circunstâncias atenuantes. Em outras palavras, as oportunidades imperdíveis. — E exemplificou: — Digamos que eu fique preso num elevador com a Luana Piovani.

— Sei.

— Só eu e ela.

— Certo.

— Depois de dez, 15 minutos, ela diz "Calor, né?" e desabotoa a blusa. Mais dez minutos e ela tira toda a roupa. Mais cinco minutos e ela diz "Não adiantou" e começa a abrir o zíper da minha calça...

— Sim.

— O contrato deveria prever que, em casos assim, eu estaria automaticamente liberado dos seus termos restritivos.

Ela concordou, em tese, mas argumentou que a licença pleiteada deveria ser mais específica, rechaçando a sugestão dele de que o inciso expiatório se referisse genericamente a "Luana Piovani ou similar". Depois de alguma discussão, ficou decidido que ele estaria automaticamente liberado da obrigação contratual de ser fiel a ela no caso de ficar preso num elevador com a Patrícia Pillar, a Luma de Oliveira ou uma das duas (ou as duas) moças do Tchan, além da Luana Piovani, se o socorro demorasse mais de 20 minutos. Isto estabelecido, ela disse:

— No meu caso, deixa ver...

— Como, no seu caso?

— No caso de eu ficar presa num elevador com alguém.

— Defina "alguém".

— Sei lá. O Maurício Mattar. O Antônio Fagundes. O Vampeta.

— O Vampeta não!

— É só um exemplo.

— Não pode ser brasileiro!

— Ah é? Ah é?

Foi a primeira briga deles. Ele se considerava um homem moderno e um escravo da justiça, mas aquilo era demais. Não conseguia imaginar ela presa num elevador com um homem irresistível, ainda mais com a absolvição pelo adultério garantida em contrato. Sugeriu o Richard Gere. Ela não era louca pelo Richard Gere? O Richard Gere ele admitia. Ela achou muito engraçado. As chances dela ficar presa num elevador com o Richard Gere eram muito menores do que as chances dele ficar preso com a Luana Piovani, que morava no Brasil, ora faça-me o favor.

— Então o Julio Iglesias.

— O quê?!

— O Julio Iglesias vem muito ao BrasiL — Eu tenho horror do Julio Iglesias!

— Bom, se você vai começar a escolher...

Finalmente, chegaram a um acordo. Ele ainda relutou, mas no fim se viu sem nenhuma objeção convincente. Ela estaria liberada de ser fiel a ele se um dia ficasse presa num elevador com o Chico Buarque. Mas só com o Chico Buarque. E só se o socorro demorasse mais de uma hora!

O que faltou

Ele Adão, ela Eva. O casamento tinha tudo para dar certo, inclusive antecedente histórico. Não deu. Meses depois da briga final, os dois se encontraram para tratar do divórcio e discutir o que dera errado. Cabeça fria. Gente civilizada.

— Eu tenho uma tese — disse ela.

Ele sorriu. Ela sempre tinha teses.

— Minha tese é a seguinte: faltou apelido. Nós nunca tivemos apelidos, um para o outro.

Era verdade. Desde o namoro, tratavam-se apenas por "Adão" e "Eva". Eventualmente "querido" e "querida". Nos momentos de ardor conjugal, "amor!" e "coraçããão!". Nunca "negro/negra", "fofo/fofa", "Dão e Vevé". Não tinham apelidos para o dia a dia de um casamento, para o "passa o sal", para o trivial. Na presença de outros, identificavam-se como "ele" ou "essa daí". No fim, estavam se chamando de "cretino" e "imbecil", mas o fim não contava. No fim, não era mais um casamento, era um psicodrama. Faltara o apelido na hora certa.

O casamento só é indissolúvel com apelido. O único amor eterno é o amor com apelido.

— Por que será que nós nunca nos demos apelidos?

— Não sei. Talvez esperássemos que eles viessem, com o tempo. Nosso erro foi pensar que um casamento feliz produz apelidos carinhosos quando é o contrário: apelidos carinhosos produzem casamentos felizes. Ou pelo menos duradouros.

— Vivinha, você gosta?

Ela hesitou.

— Que diferença faz agora?

— Estou falando em tese.

— Gosto. (Pausa.) Adãozinho.

— Posso chamar você de Vivinha?

— Pode.

— Então, combinado.

— Mas tem uma coisa.

— O quê?

— Sem efeito retroativo.

Conto de verão nº 8: a separação

O nome dela era Ada Zácaro e o dele Zeno Adams e foi isso que os aproximou. Não importava se a chamada fosse feita pelo primeiro nome ou pelo último, estavam sempre em extremidades opostas. Um dia comentaram isso no pátio da escola, nem sonhando que em pouco tempo ela estaria no altar ao lado dele, dizendo sim, sim, eu quero, sim, ser Ada Adams, primeira em qualquer chamada, e foi a primeira vez que se falaram. O alfabeto inteiro os separava mas tudo o mais os unia, principalmente os hormônios. Estudaram juntos para o vestibular. Português, física, química e — numa tarde especialmente primaveril, sim, sim, eu quero, sim — anatomia. Casaram-se, e não me lembro de um casal mais apaixonado. Dele lamber o braço dela em público, como aconteceu um dia na nossa frente. Em casa, depois, minha mulher disse "Você nunca lambeu meu braço em público", mas depois completou, sensatamente, "graças a Deus". Com eles não tinha o sensatamente. Viviam se agarrando em qualquer lugar, e contavam a história do alfabeto que os separava como se o amor deles fosse uma vitória sobre o destino, e sua paixão uma forma de insubordinação aos deuses. Deviam ter dado mais atenção ao alfabeto do que à química, no entanto, porque depois do casamento foram aos poucos descobrindo que, além da paixão, tinham pouca coisa em comum. Foram descobrindo o que, se se beijassem menos e conversassem mais, já saberiam. Ela, por exemplo, detestava o Schwarzenegger, ele não aguentava o Caetano. Divergiam em tudo. Comidas (ele embutidos, ela saladas). Pavores (ela barata e cigana, ele aranha e mímica). Mas, principalmente, divergiam no clima. Ela adorava o calor, ele preferia o frio. No verão, ela, que já era morena, ficava preta. Passava os dias no sol. Ele considerava o sol um tirano e vivia na sombra como quem vive na clandestinidade. Se emocionava quando falava em ar-condicionado. No fim do verão, estava mais branco do que no começo. Na cama, eram coalhada com pato laqueado. Depois não era nem mais isso. Começaram a se afastar. Camas separadas, depois quartos separados, depois ela no apartamento e ele num apart-hotel, depois ela no Rio e ele em Buenos Aires, depois ela em Manaus e ele na Patagônia, e agora me contaram que ela está vivendo na África Equatorial e ele numa ilha lá naquela ponta onde o Chile e a Argentina disputam a custódia dos pinguins. E o curioso é isto: não se divorciaram. Ela foi à África fazer alguma coisa ligada à educação mas hoje não faz mais nada e vive numa praia, e dizem que está uma passa. E pede: "Contem para ele. Contem para ele." Ele diz que foi para a tal ilha fazer pesquisa — estranho, porque o ramo dele é contabilidade — mas dizem que sua única ocupação é evitar que o vento o arraste para o mar. Ele parece um palhaço com a cara muito branca, o nariz vermelho e as extremidades da boca puxadas para baixo numa eterna expressão de desgosto com a vida. E pergunta "Ela está sabendo? Ela está sabendo?". Só falam um no outro. Minha mulher comentou que eles se separaram ardentemente, que a deles é uma separação mais apaixonada do que o casamento, e disse "Ainda bem que a gente combina em tudo, né bem?". Mas ficou com o olhar perdido, pensando na Ada e no Zeno. Ada e Zeno, com o mundo entre eles, incapazes de se desligar. Mulher tem essa coisa romântica um pouco doentia, acha não?

Manjar branco

Os dois estavam comendo sem falar. Só os dois na mesa, e os dois em silêncio. Aí ele fez um comentário. Só por fazer.

— Não existe nada pior do que risoto frio.

Ela só olhou para ele e continuou mastigando.

Daí a pouco disse:

— Bunda caída.

— O quê?

— Bunda caída. É pior do que risoto frio.

Novo silêncio. Depois ela completou:

— E risoto frio tem jeito. É só esquentar.

Mais dois ou três minutos. Ele:

— Bunda caída também tem jeito.

— Como?

— Ginástica. Plástica.

Desta vez o silêncio durou até o fim do jantar. Ela levantou e levou os pratos para a cozinha. Depois, como ela estivesse demorando para voltar, ele gritou:

— Matilde!

Ela apareceu na porta da cozinha.

— Que mais? — disse.

— Sobremesa, ué.

— Não. Que mais? Você já criticou meu risoto, já criticou minha bunda... Que mais?

— Eu critiquei sua bunda?

— Eu faço plástica. Me dá dinheiro que eu faço.

— Tidinha!

— Não seja por isso, Vicente.

Ela desapareceu na cozinha. Ele esperou um pouco e depois foi atrás. Ela estava olhando fixo para uma massa disforme dentro de uma fôrma, em cima do balcão.

— O que é isso? — perguntou ele.

— Manjar branco.

A massa era escura. Ele chegou a abrir a boca para falar mas decidiu ficar quieto. Depois, na mesa, comeu o manjar e fez "mmmmm".

Ela levantou da mesa, pegou algumas coisas no banheiro e no quarto e foi para a casa de Enolina, que tinha comprado uma TV de 29 polegadas.

Decidida a não voltar mais. Aguentava tudo, menos a ironia.

Brindes

Marcos e Nádia, Paulo e Andrea. Jantar na casa de Marcos e Nádia para comemorar a reconciliação de Paulo e Andrea. Os quatro na sala, depois do cafezinho. Marcos e Paulo conhaque, Nádia e Andrea licor. Marcos:

— E então?

Paulo e Andrea coxa a coxa no sofá. Mãos dadas. Paulo, rindo:

— Então o quê?

— Tudo na mais perfeita?

Paulo mostra as mãos dos dois entrelaçadas.

— Olha só.

Andrea:

— Não largo mais desta mão.

Em seguida larga, para ajeitar o cabelo.

— E vocês? — pergunta Andrea.

Marcos e Nádia se entreolham.

— Nós? — diz Nádia. — Muito bem. Maravilha.

— Como a gente briga por coisa pequena, não é mesmo? — diz Paulo.

— O que um diz ou deixa de dizer. Bobagens. E o importante é isto aqui.

Mostrando a mão.

— A aliança?

— Não, a pele. O importante é a pele. Uma pele contra a outra. Se é bom, é porque é certo.

Marcos propõe:

— Um brinde à pele.

— À pele.

— À pele.

— À pele.

Nádia:

— Em nome das mulheres aqui presentes, proponho um brinde aos homens.

— Principalmente aos peludos — diz Andrea.

Uma referência à quantidade de pelos que cobrem o corpo de Paulo.

— Aos pelos — reforça Nádia.

— Aos pelos.

— Aos pelos.

— Aos pelos.

É a vez de Paulo propor o brinde.

— Às mulheres, principalmente às nossas.

Marcos acrescenta:

— Às suas calcinhas penduradas no banheiro.

— Às calcinhas.

— Às calcinhas.

Nádia não brinda às próprias calcinhas. Propõe uma alternativa.

— Aos homens que não jogam nenhum papel fora.

Marcos propõe outro.

— À tolerância. Às mulheres que aceitam seus maridos como eles são.

Nádia:

— A todas as mulheres do mundo que precisam encontrar espaço para guardar os papéis que seus maridos não jogam fora.

Paulo tenta mudar o rumo dos brindes e sugere:

— Ao amor.

Mas Nádia não se contém.

— Anúncio de telepizza. Vocês acreditam? Anúncio de telepizza.

— O quê?

— Esses volantes que distribuem na rua. Ele não consegue jogar fora.

— Não é bem assim... — tenta defender-se Marcos.

— E eu que encontre lugar para guardar.

Marcos contra-ataca:

— E a minha coleção da *Placar?* Desde o primeiro número. Você jogou no lixo.

— Porque precisava do espaço no armário! Pra pendurar roupa!

— Para as suas calcinhas eu sei que não era. Essas você pendura no banheiro.

Nádia ergue o copo de licor ainda mais.

— Às mulheres de maníacos de todo o mundo.

Marcos:

— Aos maníacos incompreendidos!

Paulo bate na perna de Andrea.

— Está na hora de ir dormir.

***

Depois, na cama, Paulo comenta com Andrea:

— Acho que com o Marcos e a Nádia, ó... Está faltando isto. Pele.

Ele alisa com a mão a parte carnuda do braço de Andrea.

— Sei não — diz Andrea. — Anúncio de telepizza...

— Qual é o problema?

— Francamente, Paulo.

— Não. Qual é o problema?

Bolinhos de bacalhau

Vitor e Vivinha decidiram dar uma última chance ao seu casamento. Depois de dez anos, nada mais dava certo, se irritavam um com o outro — era preciso ir atrás do amor perdido. E o lugar para procurá-lo era o restaurante onde tinham se conhecido, aonde tinham ido na primeira vez em que saíram juntos, onde ele a pedira em casamento e onde comemoravam a data todos os anos. Até o sexto, quando, por alguma razão, pararam de freqüentar o restaurante. Se o que tinham perdido estava em algum lugar, estaria lá. Talvez as risadas dadas e as promessas de amor eterno trocadas estivessem presas no teto como balões de aniversário esquecidos, esperando o resgate. E, se não estivessem, pelo menos haveria os bolinhos de bacalhau.

O restaurante continuava no mesmo lugar. Estava vazio.

— Até as toalhas são as mesmas! — disse Vivinha.

E os dois sentaram-se e ficaram se sorrindo, enternecidos, as boas lembranças rondando a mesa como fantasmas solícitos. Até que veio o garçom. Seria o mesmo do tempo deles?

— O senhor é o seu Adolfo?

— Não — respondeu o garçom.

E não fez qualquer comentário. Não ser Adolfo parecia um fato ao qual ele se resignara há muito tempo. Vitor tamborilou na mesa com os dedos — um dos seus hábitos que ultimamente irritavam Vivinha — e pediu:

— Antes de mais nada: bolinhos de bacalhau!

O garçom afastou-se, claramente não contagiado pelo entusiasmo de Vitor. Deixou sobre a mesa um cardápio datilografado e plastificado. Nada como os de antigamente. Vivinha examinou o cardápio, depois de pousar a mão suavemente sobre os dedos agitados de Vitor, para fazê-los parar.

— Mudou tudo — disse Vivinha, largando o cardápio.

Ficaram de mãos dadas, olhando em volta, sorrindo levemente mas sem dizer nada, até chegarem os bolinhos. Quatro. Cada um pegou um bolinho, mordeu e começou a mastigar.

— E então? — perguntou Vitor, depois de um tempo.

— Ainda não cheguei no bacalhau.

— O meu está ótimo.

— Você está brincando.

— Não, está ótimo. Igual ao que era no nosso tempo.

— Só que no nosso tempo era bacalhau mesmo. Agora é de batata.

— Como, batata? E este gosto de bacalhau?

— Eles usam outro tipo de peixe. Muita batata, e um peixe barato. Bacalhau está muito caro.

— Eu estou sentindo um gosto bem definido de bacalhau. Igualzinho ao que eu me lembrava.

— Não é mais o mesmo, Vitor.

— Acho que é má vontade sua.

— Não sou eu, Vitor. É o bolinho.

Vitor pegou outro bolinho e botou inteiro na boca. Mastigou furiosamente.

— Mmmm — disse, desafiador.

— Vitor...

— Ó, Adolfo! — gritou Vitor para o garçom, de boca cheia. — Mais quatro. E duas cervejas.

— Vitor, você pode mastigar esses bolinhos o quanto quiser, não vai encontrar bacalhau.

— Pois eu digo que é bacalhau.

— Não é mais, Vitor.

Ele parou de mastigar. Tirou o que sobrara da boca e colocou no prato. Olhou para Vivinha.

— E se a gente fingisse que é bacalhau?

— Não dá, Vitor.

O garçom chegou com as cervejas. Disse que os bolinhos estavam vindo.

— Suspende — ordenou Vitor.

— Vão pedir mais alguma coisa? — perguntou o garçom, indicando o cardápio com um queixo desdenhoso.

— Ainda não escolhemos.

Quando o garçom foi embora, Vitor inclinou-se para Vivinha e disse:

— Sabe o que eu acho? Acho que no nosso tempo já não era bacalhau. E a gente adorava.

— Era bacalhau.

— Não era! Nada era bacalhau naquela época. Mas você revirava os olhos assim mesmo.

E Vitor recomeçou a batucar na mesa com os dedos até Vivinha abafar suas mãos com as dela. Desta vez com raiva.

Coexistência

O advogado disse que tudo que eles tinham adquirido depois do casamento seria dividido entre dois.

— Parabéns — disse ele. — Você vai ficar com metade da minha alergia seborrágica de fundo nervoso.

— Você já tinha caspa quando casou comigo! — reagiu ela.

Ele a ignorou e perguntou ao advogado:

— E o apartamento?

— Isso vocês dois vão ter que decidir.

— O apartamento fica perto da casa da minha mãe e da minha ginástica, eu me criei nesta zona e os vizinhos simpatizam muito mais comigo do que com você — disse ela.

— O quê? Os vizinhos me adoram.

— Proponho um plebiscito — disse ela para o advogado. — Quem quer ficar comigo e quem quer ficar com ele. Sabe como é o apelido dele no prédio?

— Calma, calma — pediu o advogado.

— Como é o meu apelido no prédio?

— Calma — insistiu o advogado. — Isto não vem ao caso. O apartamento vocês decidem depois. Nesta sala, por exemplo, o que foi adquirido pelos dois?

— Esta poltrona.

A poltrona. O primeiro estofado que tinham comprado. Ele sentado na poltrona, ela no seu colo. Recém-casados.

— De quem é esse narizinho?

— É seu...

— De quem é essa boquinha?

— É sua...

Depois tinham comprado o sofá.

— Onde está aquele umbiguinho que eu gosto tanto?

Os dois sentados no sofá. Ela abria a roupa para mostrar o umbigo.

— Este aqui?

— Aí está ele!

E beijava o umbigo dela.

Depois tinham comprado a televisão. E um dia os dois estavam abraçados no sofá, olhando a televisão, e ela começou a apalpá-lo, dizendo:

— Onde é que está?

— O quê?

— Você sabe.

— Não sei não. O quê?

— Ah, você sabe...

— Procura que você acha...

E ela finalmente achou. O controle remoto da televisão. De certa maneira, aquele diálogo fora o começo do fim. Tudo que acontecera depois fora decorrência. Tinha acabado a mágica.

***

Um dia, no banheiro, ele chamara a mulher, apontara para as escovas de dentes dos dois, penduradas lado a lado, e dissera:

— Olha que coisa bonita. Somos nós dois. Nada simboliza a união de duas pessoas como suas escovas de dentes lado a lado num armário de banheiro. Na cerimônia de casamento, o padre devia perguntar "aceita a escova de dentes dessa mulher ao lado da sua pelo resto da vida?".

— Pelo resto da vida, até que a morte nos separe...

— Ou o aparelho de barba — dissera ele, abraçando-a por trás.

— O quê?

— Sabe que a principal causa de divórcio no Brasil é a mulher raspar as pernas com o aparelho de barba do marido e depois não limpar? Em segundo lugar vem o adultério e em terceiro o ronco.

Ela dera um tapa brincalhão na sua mão.

— Para. Eu só usei uma vez.

— Promete que não usa mais?

— Prometo.

— Jura? Pelo que há de mais sagrado? Pelas nossas escovas de dentes?

— Juro pelas nossas escovas de dentes.

Se tivesse ficado só naquilo, o casamento talvez ainda pudesse ser salvo. Mas ele continuara. Mesmo beijando-a na nuca, ele continuara.

— Sabe o que duas escovas de dentes penduradas lado a lado simbolizam? Coexistência. Não existe intimidade maior do que a de duas pessoas que juntam suas escovas de dentes. E a coexistência é impossível, a intimidade é impossível, o casamento é impossível, se um raspa as pernas com o aparelho de barba do outro — e depois não limpa!

— Eu já disse que não acontecerá de novo.

— Você não tem o seu depilador? Pois use o seu depilador e largue o meu aparelho de barba.

— Está bem, já disse!

Mas não havia salvação.

É o tempo. O tempo é um demolidor. Por isso estavam os dois ali, com o advogado, decidindo o destino dos estofados.

Entraram no quarto de dormir.

— Compramos a cama juntos.

— Eu não quero a cama — disse a mulher. — Pode ficar pra ele. Só me traria más recordações.

— Ah, é? Ah, é?

— Calma — disse o advogado.

Exatamente dez anos antes, numa noite, depois do sexo naquela cama, ela exclamara:

— Puxa!

E ele, orgulhoso:

— Você diz isso... sinceramente?

— E digo de novo. Puxa! Você, hein?

— Um adjetivo. Quero um adjetivo.

— "Puxa" não serve?

— Não. "Puxa" é interjeição. Quero um adjetivo qualificativo.

— Deixa ver...

— Magnífico? Glorioso? Ciclópico? Apoteótico?

— Foi perfeito.

— Só perfeito?

— Mais que perfeito.

— Foi a melhor de todas até hoje?

— É difícil comparar uma com a outra. Cada uma tem seu clima, suas características... Cada uma é boa à sua maneira.

— Mas esta foi espetacular?

— Foi...

— Numa escala de um a dez...

***

Cinco anos antes, naquele mesmo quarto, chegando em casa depois de uma festa, ela, bêbada, chutara um sapato do pé e quase o acertara.

— Você quase me acertou!

— Chute um sapato você também. Faça alguma coisa excitante na sua vida.

E ela chutara o outro sapato, forçando-o a se abaixar para não ser atingido.

— Não quero chutar sapato. Agora para.

— Vem cá, vem.

— Vem abrir o zi... zi... Palavra difícil. O zíper do meu vestido.

Ele fora abrir o vestido dela. Ela ordenara:

— Com os dentes.

Ele tentara pegar a chapinha do zíper com os dentes mas não conseguira.

— Não consigo.

— De que adianta ter um marido, se ele não consegue abrir um zíper com os dentes?

— Para com isso e... Onde você vai?

Ela saiu pela porta, descalça.

— Vou voltar pra festa e arranjar um homem pra abrir o meu zíper com os dentes.

Ele a segurara e a empurrara para a cama.

— Tanto homem na festa e eu tinha que vir pra casa logo com você! Por quê?

— Eu sou seu marido.

— Exato. Eu devia saber que não ia dar em nada...

O tempo, o tempo. Com o tempo um grande amor degenera para pequenas maldades.

— Como era o meu apelido no prédio?

— Nem queira saber.

E o advogado:

— Calma, calma.

Mãos dadas

A separação de Carolina e José Mauro, o Zémau, pegou todo mundo de surpresa. Logo aqueles dois, que depois de dez anos de casados ainda andavam na rua de mãos dadas. De mãos dadas!

— Pra você ver — foi o comentário do Péricles para a mulher, Verinha, que vivia tentando pegar a sua mão na rua. Eles não andavam de mãos dadas, o Péricles enfiava a mão no bolso quando a Verinha tentava pegá-la, ou apressava o passo para caminhar na frente, e o casamento deles estava firme. A Carolina e o Zémau andavam na rua como dois namorados (ele fingia que mordia a orelha dela e ainda fazia "iom" na frente de todo mundo) e estavam se separando.

— Viu só? — disse o Péricles.

— Sei não — disse a Verinha.

— Sei não o quê?

— Sei não se o nosso casamento está firme.

— Que história é essa, Verinha?

— Sei não!

A separação de Carolina e Zémau deixou a Verinha traumatizada. Eles pareciam tão felizes. Não eram só as mãos dadas e o "iom" na orelha. E o jeito como o Zémau chamava a Carolina de "amorzinho". Uma vez até "amoreco", o que levara Verinha a reclamar para o Péricles que ele nunca, nunca na vida, a chamara de "amoreco" (e o Péricles nem levantara os olhos do jornal). Não era só isso. Quando a Carolina não estava do seu lado, o Zémau se referia a ela como "essa minha mulherzinha...". Com carinho. Com admiração. Você sabe o que um homem pensa da mulher pelo modo como fala nela de longe. O Péricles apontava para ela com o queixo e dizia "Essa daí".

***

Semanas depois da separação, Péricles encontrou o Zémau. Estava ótimo. Péricles não quis fazer perguntas, mas o próprio Zémau puxou o assunto. Pois é, acabou. Não, não tinha havido nada. Amante, briga, nada. Tinham, simplesmente, decidido "dar um tempo". A Carolina? Também estava ótima. Nem a dona Lavínia, mãe da Carolina, criara problemas com a separação. Aliás, o Zémau continuava indo à casa dos sogros todas as semanas, para jogar cartas. Só porque o casamento tinha acabado não era razão para acabar com a parceria. Estavam todos ótimos. Numa boa.

— Traumatizada ficou a Verinha... — disse Péricles.

***

Péricles hesitou. Olhou para trás. Olhou em volta. Não havia muita gente na calçada. Ninguém conhecido. A Verinha caminhava ao seu lado, olhando para o chão, com os braços cruzados na frente do peito. Péricles tentou pegar a mão dela. Ela se assustou.

— O que é isso?!

— Me dê a sua mão.

— Por quê?

— Porque eu quero segurar a sua mão, ora.

— Não.

Ele tentou pegar a mão dela à força. Ela apertou as duas mãos sob os braços. Rodopiou, para que ele não alcançasse sua mão. Ficaram os dois rodopiando na calçada.

— Me dê a sua mão, Verinha.

— Não dou!

— Amoreco...

— Amoreco não!

Finalmente, chegaram a um acordo. Caminhariam de mãos dadas, mas não sacudiriam os braços, como nos musicais. Se sacudissem os braços, era hipocrisia. Sinal de que o casamento estava perto do fim. E se aparecesse alguém conhecido, desfariam as mãos dadas. E ai dele se fizesse qualquer coisa parecida com "iom" na sua orelha. Péricles suspirou. Aquela sua mulherzinha...

O flagrante

José olha fundo nos olhos de Roberto. Os dois levantam suas taças.

— A nós.

— A nós.

Bebem, olhos nos olhos. Nisto a porta do apartamento se abre e entra uma mulher.

— Sueli! — exclama José.

— Arrá! — diz Sueli. — Te peguei!

— O que você está fazendo aqui?

— Me enganando. E com outro homem!

— Sueli, em primeiro lugar, você não me "pegou", porque nós não estávamos fazendo nada. Em segundo lugar, mesmo que estivéssemos fazendo alguma coisa, eu não estaria "enganando" você, pela simples razão de que nós não somos mais casados. Nos divorciamos há muito tempo, e eu não devo mais satisfações a você. Se você tem medo de ser enganada, preocupe-se com seu atual marido e...

— Você quer ficar quieto, José? — interrompe Sueli. — Não estou falando com você. Estou falando com ele.

José aponta para Roberto.

— Com ele?

— É. Meu atual marido.

— Seu marido?!

Roberto está quieto. José, para Roberto:

— Você não me disse que era casado!

— Cala a boca, José — ordena Sueli. Depois dirige-se a Roberto. — E então, o que você me diz? Dois meses de casado e você já anda com um qualquer. Seu pilantra!

— Um qualquer, não — protesta José. — Lembre-se que eu já fui seu marido.

Sueli começa a chorar. Roberto se aproxima dela.

— O que é isso, Sueli? Fique calma. Nem parece você. Vamos, Suelizinha...

— Não chama de Suelizinha que ela não gosta — instrui José.

Tarde demais.

— Não me chama de Suelizinha!

— Deixa que eu sei fazer — diz José, afastando Roberto e abraçando Sueli. — Vamos, Su. Que bobagem.

José beija a orelha de Sueli e mostra para o outro.

— A orelha é importante. Ó.

— Morde ou só beija?

— Pode dar uma mordidinha.

— Deixa eu tentar.

Roberto afasta José e abraça Sueli. Começa a mordiscar sua orelha. Dá resultado. Sueli se acalma. Mas agora José está enciumado.

— Que foi? — pergunta Roberto, notando a cara de José.

— Nada.

— Nada, não. Você está chateado.

— Não é nada.

— Faz cafuné nele — diz Sueli.

— O quê?

— Faz cafuné que ele gosta. Em cima da cabeça.

Roberto começa a fazer cafuné em José. Ao mesmo tempo, mordisca a orelha de Sueli. Nisso a porta se abre e entra outra mulher.

— Anita! — exclama José.

— Eu sabia. Segui você até aqui porque sabia que ia encontrar uma cena assim. Você não tem vergonha? Depois de todas as juras que fizemos?

— Anita, não é nada do que você está pensando — diz José. — Eu...

— Quer ficar quieto, José? Eu estou falando com ela.

José aponta para Sueli.

— Com ela?!

— Anita — diz Sueli —, vem cá.

Anita se junta ao grupo. Sueli a abraça.

— Pronto, pronto — diz Sueli.

— Roça a nuca dela com o queixo — instrui José.

— Assim?

— É.

Ficam os quatro de pé no meio da sala. Roberto mordiscando a orelha de Sueli, que roça a nuca de Anita com o queixo, e fazendo cafuné em José, que, sem ter o que fazer, pergunta:

— O caso de vocês duas começou antes ou depois do nosso casamento?

— Não é a hora, José — diz Sueli.

A vida em bando

!

Conto de verão nº 7: a apoteose

O roteiro da despedida de solteiro do Pena estava estabelecido. Se reuniriam no apartamento que o Osvaldo com Vê dividia com o pai, onde, segundo o Múcio, autor do roteiro, esquentariam as máquinas. Depois seguiriam em romaria para o bar do Batata, onde a cadeira do Pena na mesa de sempre seria quebrada e incendiada na calçada. Na mesma fogueira, o Pena queimaria todos os vestígios da vida que estava abandonando para casar com a Leinha, inclusive a sua famosa cueca com a imagem do Super Mouse. Depois iriam para a boate Tchan.

***

O plano das gêmeas Domícia e Darlene era fazer companhia à Leinha na sua última noite de solteira. Verem o vestido de noiva pronto, baterem papo, distraírem a amiga na véspera daquele dia tão importante. Mas a Leinha as recebeu muito agitada e foi anunciando:

— Quero sair! Quero sair!

As gêmeas hesitaram mas a gorda Flora, que tinha chegado antes, deu força. O Pena não ia fazer sua despedida de solteiro? Pois a Leinha não podia ficar em casa, só pensando no que o Pena estava fazendo no seu adeus ritual à noite. As gêmeas Domícia e Darlene não se convenceram mas foram atrás. Inclusive para controlar as loucuras da Flora, que nunca fora uma boa influência para a Leinha.

***

No bar do Batata, depois de queimarem a cadeira na calçada, o Múcio fez um discurso sobre a amizade e o amor, e o Bochecha chorou. O Bochecha era grande e brigão, mas chorava por qualquer coisa. Pena fez a entrega cerimonial do seu livrinho de telefones, que eles chamavam de "Catálogo", ao Osvaldo com Vê, dizendo "Nunca mais, nunca mais". Uma vida chegava ao fim. Combinaram que aquela noite tinha que terminar espetacularmente. Aquela noite pedia uma apoteose. Uma apoteose!

***

— Coisa mais fora de moda — estava dizendo a Flora. — Pra que casar?

Tinham comprado sorvetes em casquinhas e estavam numa mesa em frente à sorveteria. Um moço com longos cabelos loiros veio falar com a Leinha, para grande desconforto das gêmeas Domícia e Darlene.

— Você tá fazendo de propósito, não tá não?

Leinha arregalou os olhos.

— O quê?

— Lambendo o sorvete desse jeito.

— Por quê? Te incomoda?

Domícia e Darlene se entreolharam. E gemeram baixinho quando o moço loiro aceitou o convite da Flora e sentou com elas.

***

Bar do Batata. O cronograma da despedida estava atrasado porque o Osvaldo com Vê tinha puxado conversa com duas meninas na mesa ao lado. Apresentara-se da maneira costumeira.

— Osvaldo. Com vê.

E agora estava convidando as meninas a irem com eles à Tchan, uma boate nova onde mulher não pagava.

***

O moço loiro pediu a Leinha que deixasse o finzinho da casquinha pra ele. Ele gostava de ir lá dentro pegar a última porção de sorvete com a ponta da língua. As gêmeas Domícia e Darlene ficaram muito nervosas. A Flora deu uma gargalhada.

***

No carro do Bochecha, a caminho da Tchan, o Pena declarou que ia ser um bom marido.

— Não. Entende? Vou ser legal. Vou ser fiel.

Botou a cabeça para fora e gritou:

— Abjetamente fiel!

O Múcio começou a elogiar a Leinha, a dizer que uma moça como a Leinha justificava tudo, até o casamento, até uma coisa antinatural como a fidelidade, e o Bochecha se emocionou de novo. A menina no colo do Osvaldo com Vê ficou surpresa com a revelação de que o Pena ia casar no dia seguinte, e com uma boa moça.

— Coisa mais fora de moda.

***

No carro da Flora, as gêmeas Domícia e Darlene disseram juntas:

— Tchan?

— É uma boate nova. Mulher não paga.

Domícia e Darlene declararam que queriam ir para casa mas a Flora fingiu que não ouviu. O moço loiro avisou que não tinha dinheiro para ir à boate e a Leinha disse que pagava por ele.

***

— Isto é Bizâncio! — gritava Múcio, pulando sozinho no meio da pista de dança da boate Tchan. Osvaldo com Vê dançava com as duas meninas ao mesmo tempo, uma mão em cada bunda. Bochecha e Pena estavam numa mesa com um travesti chamado Luana Su, e foi o Bochecha que viu a Leinha passar pela mesa, bêbada, abraçada com o moço loiro, e os dois começarem a dançar na pista. Tomado de pânico, Bochecha agarrou o rosto do Pena com as duas mãos.

— Cara, eu preciso te dizer uma coisa.

— Que é isso, Bochecha?

— Eu preciso te dizer uma coisa!

— O que é? Eu estou ouvindo.

— A vida. É sobre a vida.

Ouviram-se palmas e assovios vindos da pista de dança, e a Luana Su comentou com desdém: “Sempre tem uma...” O Pena conseguiu livrar o rosto das mãos do Bochecha e virou-se para ver a Leinha fazendo strip-tease no meio da pista. Pena levantou-se, de boca aberta. Leinha já estava começando a tirar o sutiã quando viu o noivo. Ficou paralisada. Ficaram os dois paralisados. Lágrimas escorriam pelas faces do Bochecha, que depois contaria: "Eu tentei avisar, eu tentei, mas era tarde". E então o Pena disse, baixinho:

— Tira.

Depois mais alto.

— Tira!

E mais alto, agora acompanhado por um coro, e por palmas ritmadas.

— Ti-ra! Ti-ra! Ti-ra! Ti-ra!

***

O Osvaldo com Vê emprestou o apartamento. Tirou o pai de casa com um pretexto que inventou na hora. "Enchente!" O pai, ainda meio dormindo, saiu sem notar que nem estava chovendo e, mesmo, o apartamento ficava no oitavo andar. Foram os quatro para o apartamento. O Pena, a Leinha, a Luana Su e o moço loiro. Amaram-se em todas as combinações possíveis a noite toda, apoteoticamente. Às oito, conforme o combinado, a Flora pegou a Leinha e a levou em casa, para se vestir para o casamento. Ela chegou atrasada na igreja, as gêmeas Domícia e Darlene, que eram madrinhas, quase desmaiaram. Mas chegou, fresca e sorridente. O noivo é que mal conseguia se manter de pé. Tanto que houve comentários na igreja. A despedida de solteiro do Pena devia ter sido uma coisa, sabe como é o Pena. Mas agora, com a Leinha, ele ia tomar jeito. Página virada, era o que todos diziam. Página virada.

O ultimato

A Berenice tinha lhe dado um ultimato, contou o Fabinho na roda. Ou ela ou a turma. A turma se entreolhou. Ultimato era fogo. O Solis tomou coragem e perguntou:

— E você escolheu o quê?

— Eu estou aqui, não estou?

Houve aplausos na mesa. Ó Fabinho, seu! Aquilo é que era amigo.

Um exemplo para outros que tinham fraquejado e escolhido a família. E uma lição para as mulheres. Ultimato não era coisa que se desse a um homem. Ultimato era o fim.

Pediram outra rodada de chope, para comemorar a vitória da amizade sobre a prepotência.

Mas aconteceu o seguinte: depois da separação, o Fabinho começou a aparecer menos na roda. A princípio houve compreensão. Livre da Berenice, ele estava aproveitando para namorar. Depois de tantos anos dando exclusividade à Berenice, precisava recuperar seu nome na praça. Claro. Mas quando reapareceu, num sábado de manhã, parecia preocupado. Avisou que só podia ficar pouco tempo. Ao contrário do Fabinho pré-ultimato, não tinha nenhuma piada nova para contar. E, pela primeira vez na história da mesa, ele foi o primeiro a sair. Precisava passar no supermercado.

Outro dia, no melhor da conversa, o Fabinho olhou o relógio e se levantou de repente, invocando a prostituta que os tinha gerado. Tinha esquecido! Marcara a visita de alguém para olhar os azulejos do banheiro, que estavam se soltando. Precisava ir para casa. Saiu correndo, deixando para trás uma turma perplexa. O que estava acontecendo com o Fabinho? O Mário Sérgio então disse a frase:

— Vitória da Berenice.

Sua tese era que, ausente, Berenice conseguira o que queria.

Roubara o Fabinho da turma. Pelo simples fato de não estar em casa, transformara o Fabinho num monstro de domesticidade.

— Temos que reagir — disse o Solis.

A Berenice não podia vencer, assim, numa espécie de WO ao contrário. Não era uma questão pessoal. Era uma questão de princípios.

Em vez de piadas novas, o Fabinho agora só trazia para a mesa — quando aparecia — suas angústias caseiras. Azulejos soltos, cortinas despencadas, a disponibilidade e o aspecto de hortifrutigranjeiros, as vantagens da feira sobre o super e vice-versa, as... Até que o Magro gritou "Chega!" e disse o que toda a turma estava pensando. Que o Fabinho se transformara num chato. Que, se continuasse assim, era melhor que ficasse em casa, cuidando dos seus ralos e rachaduras, e deixasse com a turma apenas a lembrança do Fabinho como ele era. Do Fabinho dos grandes dias. Depois da surpresa e do ressentimento, o Fabinho acabou concordando. Sabia que tinha mudado. Mas o que podia fazer para ser de novo o velho Fabinho? Era impossível ir ao bar todos os dias, e ficar até tarde, e ser o companheiro divertido de antes, sabendo que tinha louça para lavar em casa. A boemia bem-sucedida exigia um mínimo de logística.

— Me falta retaguarda! — protestou Fabinho, abrindo os braços. — Me falta retaguarda.

Combinaram que Fabinho procuraria Berenice com uma proposta de reconciliação. Ela voltaria, e eles acertariam o que o Solis chamou de um *modess vivendi.* Dias certos para ele estar com a turma, talvez três vezes por semana. Com hora certa para voltar pra casa. O importante era que Berenice retomasse a gerência do lar e liberasse o Fabinho para ser de novo Fabinho.

— Leve um organograma — sugeriu o Mário Sérgio, que acreditava muito em métodos audiovisuais.

Funcionou. A Berenice topou. Eles estão juntos outra vez. O Fabinho aparece na mesa três vezes por semana e é o velho, o legendário Fabinho, mesmo com hora marcada para ir embora.

Mas persiste na turma, embora ninguém a comente, a vaga sensação de vitória de Berenice. Por pontos.

O primo do Tom Cruise

A tese do Matos era a seguinte: o homem só se conhece em duas situações. Quando está sob a ameaça de uma arma ou quando quer conquistar uma mulher. O Pedroso acrescentou uma terceira, baseado na sua própria experiência. Um homem só se conhece realmente diante de um vitral da catedral de Chartres. Pode ter sido um incrédulo e um materialista a vida toda, mas diante de um vitral de Chartres se descobre um místico — ou não. Pedroso, por exemplo, fora a Chartres especificamente para se testar. Informara-se sobre a melhor hora para visitar a catedral e quais os vitrais mais transportadores, e se postara diante deles como um desafiante. Que venham as luzes! E confessou que quase sucumbiu. Chegou a levitar, e estava já há alguns centímetros do chão quando seu velho racionalismo — ou sua mulher, a Chica, ele não se lembra bem — o puxou para baixo, e o ceticismo venceu. Mas o Matos insistiu. Nós somos o que fazemos na frente de uma arma ou atrás de uma mulher. O Peralva protestou. Disse que ambas as situações eram de descontrole emocional, e que um homem não pode ser julgado pelo descontrole. Errado, disse o Matos. O descontrole é o homem, o controle é o disfarce. O Peralva então disse que se recusava a ser julgado pelo seu comportamento quando estava a fim da Adelaidinha, pelo que fizera por causa da Adelaidinha. Meu Deus, até se escondera atrás de um poste para ver se ela chegava em casa com alguém. Meia-noite e ele atrás de um poste, sob a curiosidade de cachorros e porteiros, fingindo que examinava o poste no escuro por interesse estético ou profissional. Um fiscal de poste por ciúme da Adelaidinha. Aquele imbecil não era eu, disse o Peralva. Eu sou um químico respeitado, professor, trabalhos publicados, congressos no exterior, pai de filhos, peraí um pouquinho. Você é aquele imbecil, Peralva, disse o Matos. Tudo o mais é a capa do imbecil essencial. Tudo o mais é fingimento. Você nunca foi tão você quanto atrás daquele poste. Veja eu, por exemplo. E o Matos tomou um gole do chope antes de contar seu próprio vexame. Se fizera passar por um primo do Tom Cruise para impressionar uma menina. Abriu-se uma clareira de espanto na mesa. O quê? Você? Eu, confirmou o Matos, sacudindo a cabeça com a própria debilidade e com a canalhice da sua espécie. Não precisava do Tom Cruise, sabia que não precisava. A menina tinha metade da idade do Matos e estava no papo, inclusive não o chamava mais de tio. O Matos tinha tudo a seu favor, a boa-pinta, os cabelos grisalhos, o Renault. Mas se sentira inseguro, entende? Sentira que conquistara uma cabeça de ponte mas não consolidara o perímetro. E por insegurança inventara o parentesco com o Tom Cruise. Primos em segundo grau. E então (agora o Matos chafurdava na própria ignomínia como um porco impenitente) contara para a menina que se correspondia com o primo e perguntara se ela não queria ("Não!", gritou a mesa, em uníssono, antecipando o que viria) ir até seu apartamento ver as cartas. E ela topara. E o Matos recuara. Como o Pedroso na frente dos vitrais de Chartres, voltara para o chão. Dera uma desculpa e cancelara a visita. Está aí, disse o Peralva. Venceu a razão, você é um bom caráter afinal, você é o que recuou. Não!, protestou o Matos. Recuara na hora porque precisava de tempo. Precisava de um plano. Uma explicação para o desaparecimento das cartas do Tom Cruise. Tinham sido devoradas por um incêndio localizado ou um cachorro ciumento, qualquer coisa. Chegara a pensar em forjar as cartas! O imbecil essencial prevalecera. Vocês têm diante de vocês um crápula de dois dias, o que equivale a um crápula definitivo. No meu necrológio vão aparecer minha ascendência e descendência, meus títulos e minhas láureas, mas não vai aparecer a coisa mais importante a meu respeito, o que eu realmente sou: um falso primo do Tom Cruise. Os outros disseram pronto, também não é assim, não te tortura. O importante é que você se deu conta. E a menina?, quis saber o Pedroso. Vou encontrar com ela daqui a pouco, disse o Matos olhando o relógio. Já tinha uma explicação para as cartas.

Deus

Deus tinha a barba por fazer e a gravata torta. O Marião o apresentou a todos em volta da mesa, providenciou outra cadeira e Deus sentou-se com a turma. Não parecia ser um louco.

O primeiro a falar foi o Arizinho.

— O Marião nos disse que você é Deus.

— Sou, sou.

Ele tinha um sorriso tímido.

— Deus Nosso Senhor?

— Esse.

Alguém deu uma gargalhada e Deus riu também. O Dimas comentou:

— Eu sabia que o Marião conhecia todo mundo, mas essa...

O Arizinho estava sério. Olhava fixamente para Deus.

— Foi você que criou esta joça toda — disse o Arizinho, fazendo um gesto que, implicitamente, incluía o universo.

— É... — disse Deus, e encolheu os ombros, como que dizendo "o que se vai fazer?"

— Adão, Eva...

Deus limpou a garganta. Precisava explicar.

— Bom. Não foi bem assim. A Bíblia romanceou um pouco e...

O Turco, que dera a gargalhada, interrompeu para sugerir que Deus, que tudo podia, bem que podia encher a mesa de chopes, e algumas coisas para se beliscar. Aí o Marião protestou. Deus estava ali para descontrair depois do expediente, não estava ali para trabalhar. E era convidado dele. Deus ainda disse que não se importava, mas o Marião nem quis ouvir. Chamou o garçom, pediu os chopes e avisou:

— Capricha que tem gente importante na mesa.

O Valdo cochichou alguma coisa no ouvido de Deus. Estava fazendo um pedido, por via das dúvidas. Alguma coisa sobre o Internacional.

Vizinhos

Você escolhe, até certo ponto, os amigos que quer ter e as pessoas com quem quer viver, mas não escolhe as pessoas mais importantes da sua vida. As pessoas que condicionam e determinam a sua existência e os seus humores: seus pais e os seus vizinhos. Ninguém escolhe a família em que vai nascer — ou seja, a forma do seu nariz e da sua herança — nem, salvo raras exceções, os vizinhos que vão rodeá-lo.

E um vizinho pode ser a sua salvação. Não só metafórica, fornecendo o gelo que acabou ou o açúcar que faltou, mas a sério, chamando a polícia na hora do assalto, arrastando você do incêndio e fazendo respiração boca a boca, completando a parceria do buraco etc.

E um vizinho também pode ser a sua perdição. Pode reforçar ou acabar com a sua fé na humanidade, resgatar você da solidão e do desespero ou fazer você perder o sono, a razão e finalmente o controle e transformá-lo num assassino raivoso. Todo homem é ele e a sua vizinhança. E se é verdade que o maior mistério e desafio do homem é sempre o outro, então o vizinho é o outro na sua versão radical. É o outro do lado.

Bons vizinhos, maus vizinhos, vizinhos esquisitos... Carlos e Luiza, um dia, tomaram coragem e bateram na porta do seu vizinho esquisito, o dos três cachorros. Não era por nada não, mas será que ele podia baixar um pouco a música? Todos os dias, o dia inteiro, a mesma música, no mesmo volume. Não apenas música, mas ópera. E não apenas ópera, mas ópera de Wagner. Se desse para baixar um pouquinho...

O vizinho esquisito explicou que, se dependesse dele, baixava. Nem gostava muito de ópera, muito menos de Wagner. Mas quem ouvia não era ele, era o Kaiser, seu pastor-alemão. O Kaiser exigia ópera, e naquele volume, o dia inteiro. E ai se não fosse Wagner.

Se eles quisessem tentar convencer o Kaiser... Carlos e Luiza desistiram, e recorreram às preces. Que deram certo, pois um dia o Kaiser foi atropelado na rua e morreu. Seguiram-se semanas de abençoado silêncio no apartamento ao lado, para alegria de Carlos e Luiza. Até que um dia, de manhã cedo, todos começaram a ouvir música chinesa vinda do apartamento do vizinho esquisito. Enlouquecedora música chinesa, a todo o volume, sem parar. Um horror, concordou o vizinho esquisito, mas era uma exigência de Ping, seu pequinês.

Ping, aparentemente, só esperava a morte do Kaiser para impor seu gosto musical. Mas como se explicavam as semanas de abençoado silêncio, quiseram saber Carlos e Luiza. Ping decidira que alguns dias de luto e respeito se impunham, depois da morte do pastor-alemão.

Carlos e Luiza estão pensando seriamente em raptar o pequinês e dissolvê-lo no liquidificador, mas estão com uma dúvida, e fazendo pesquisa. O terceiro cachorro é um dinamarquês. Quais são os compositores dinamarqueses? Alguém sabe alguma coisa da música dinamarquesa?

***

Os vizinhos de cima fazem barulho, mas os vizinhos de baixo são os piores. Os vizinhos de baixo reclamam do nosso barulho. Cansada de tanto ouvir desaforo da vizinha de baixo, Magali resolveu vender o apartamento. Durante anos cuidara para não fazer barulho, durante anos levara uma vida de monja, na ponta dos pés, aterrorizada pela vizinha de baixo. E, mesmo com todo o seu cuidado, não parava de ouvir críticas da vizinha de baixo. Críticas injustas, insultos, ironias. "Que festão ontem, hein?" só porque um copo quebrara no chão da cozinha. "Esta manhã o que foi, uma manada de búfalos, é?" Magali não sabia responder. Gaguejava, pedia desculpas, e a vizinha de baixo aproveitava para aterrorizá-la ainda mais.

Finalmente, Magali resolveu fugir. Pôs o apartamento à venda.

E avisava aos possíveis compradores: a vizinha de baixo podia ser um problema. A vizinha de baixo era difícil...

Até que apareceu a Consuelo. Alta. Cabelos puxados para trás. O busto, um promontório. Não era uma mulher, era uma força-tarefa.

Declarou "Sou espanhola" como se fosse um *habeas corpus* preventivo, que lhe permitia tudo, inclusive o coque e a insolência. Olhou o apartamento com ar superior, declarou que ficaria com ele e informou:

— Danço flamenco.

— Ótimo — disse a Magali.

E não disse mais nada. Depois que entregou a chave do apartamento a Consuelo e seus três acompanhantes, com um sorriso secreto nos lábios, e se mudou, Magali nunca deixou de ler as páginas policiais do jornal, antegozando a notícia do primeiro incidente.

***

E tem a história do Rogério, que salvou uma vizinha do suicídio — sentiu cheiro de gás, arrombou a porta do apartamento dela, foi ali,

ali — e se envolveu de tal maneira na vida da moça que teve de largar tudo, o escritório, os planos de curso no exterior, o futebol de salão das terças com os amigos, a namorada, tudo, porque se sente responsável pela continuação da vida da moça, que se não fosse por ele estaria morta e sem mais problemas, porque a moça é complicada e não perde oportunidade de lembrá-lo da sua obrigação de ajudá-la a enfrentar uma vida que ela não queria mais, porque o outro é sempre um mistério e um desafio e um sumidouro, e porque ela não é exatamente bonita, mas tem um olhinho caído, o lábio inferior saliente e não consegue dormir sem o Rogério segurar a sua mão. Entende?, diz o Rogério, mas ninguém entende. Comentam que Rogério é apenas um vizinho bom demais, que ninguém realmente salva ninguém, que é para isso que existem as paredes.

O primeiro dia

No Brasil, como se sabe, o verdadeiro dia primeiro de janeiro é a quarta-feira de cinzas — à tarde. É o dia nacional do recomeço solene, quando milhões de pessoas em todo o país colocam a mão sobre uma agenda nova e juram dizer a verdade, fazer o bem e somente o bem, organizar suas estantes, procurar seus amigos, parar de fumar, beber menos, comer melhor, visitar a tia Cleoci e pelo menos se esforçar para entender a teoria quântica, já que a econômica é impossível. Enfim, começar uma nova vida. *Da capo.* Do zero. É o primeiro dia da volta ao Paraíso antes da serpente original. Descontada a ressaca, somos os adãos e as evas da segunda chance, prontos para reinaugurar o mundo. Isto se chama chão e isto parede, aquilo lá fora sol e isto na minha mão comprimido antiácido, ou será o contrário? Depende da nossa vontade e somente dela. O futuro é uma folha pautada esperando a primeira anotação do ano, que tanto pode ser "Dentista" na sexta quanto "Deus, levar questionário" no sábado. Dia de contrição e onipotência. A virtude nos envolve como um halo e somos outros, somos decididamente outros, e certamente melhores. Uma sensação que geralmente perdura até a quinta, quando vamos ao banco ver o saldo da conta.

***

Dia, também, de passar a limpo o caderno de telefones, ver aquele número que você não sabe de quem é, e resolver descobrir.

— Alô?

— De onde fala?

— Com quem quer falar?

— Não me leve a mal, senhorita. É o seguinte. Eu estava passando a limpo meu caderninho de telefones, vi este número sem nome e...

A mulher interrompe, baixando a voz:

— É você!

— Isso eu sei. Eu queria saber quem é você.

— Não ligue mais pra cá.

— Mas, senhorita...

— Agora é senhora!

E ela desliga.

O presente

Acontece. Véspera de Natal. O outro abre o seu presente e você nota seu desapontamento. Foi o que deu para arranjar na última hora. Você explica:

— É japonês.

Ele está olhando o rótulo. Você continua:

— Licor de pêssego. Coisa finíssima.

Ele sorri, sem convicção. Você sente que precisa elaborar.

— Muito difícil de achar.

— É mesmo?

— Dificílimo. Encontrei numa lojinha de artigos japoneses que ninguém conhece. Não sei quem me falou a respeito. Era a última garrafa.

— Ah.

— O cara da loja até me contou uma história. Parece que o licor é usado num antigo ritual japonês. Na primavera. Ou é no outono? Não, na primavera, porque tem alguma coisa a ver com fertilidade. Parece que o licor é afrodisíaco.

— Sei.

Você começa a se desesperar. Afinal, uma amizade pode estar em jogo.

— Dizem que a melhor maneira de tomar é dentro de uma piscina de água quente. De preferência com uma gueixa.

— Certo.

— Ou duas.

— Eu comprei no supermercado.

— O quê?

— A garrafa que eu lhe dei no ano passado.

Silêncio. Agora você se lembra. Era por isso que tinha encontrado aquela garrafa esquecida num fundo de armário, com o licor de pêssego que, obviamente, ninguém ia tomar. Era o presente do outro.

Do outro Natal.

— Fui eu que inventei a tal lojinha de artigos japoneses — continua o outro. — E contei a história do ritual da fertilidade.

O que ele está dizendo é que o licor de pêssego podia ser o mesmo, mas ao menos a mentira podia ser outra. Você protesta:

— Pera aí. A parte do banho quente é minha!

Mas em vão.

Múltipla escolha

1) Você faz o vestibular. Você:

a) passa;

b) não passa.

2) Você passa no vestibular. Você:

a) comemora com colegas que também passaram, abraça todo mundo, grita, quando vê está pulando no mesmo lugar abraçado a uma menina que você nunca viu e que se chama Maria Cristina;

b) comemora com seus familiares, faz todo o seu sonhado curso de Engenharia, custa a arranjar emprego, finalmente se associa a um primo e abre uma lavanderia, casa, tem filhos, netos, uma vida razoável e morre de uma falha do coração artificial em 2044.

3) Você não passa no vestibular. Você:

a) pensa em se matar, pensa em se dedicar ao crime, finalmente decide fazer um curso técnico, torna-se líder sindical, depois entra na política, acaba sendo o segundo torneiro mecânico eleito presidente na História do Brasil;

b) tenta de novo, e de novo, e de novo e acaba casando com uma viúva rica que é, inclusive, dona de uma universidade.

4) A Maria Cristina lhe dá seu telefone. Você:

a) não liga para ela, nunca mais a vê, e sai desta história incólume;

b) liga para ela, e vocês combinam se encontrar, apesar do seu pressentimento de que aquele sinalzinho que ela tem perto do canto da boca não pode dar em boa coisa.

5) Você e a Maria Cristina se encontram, na casa dela. Ela:

a) está sozinha em casa;

b) está com o pai, a mãe, um irmão/armário, duas tias grandes e um *pit bull* e nada acontece.

6) Ela está sozinha em casa. Vocês:

a) se amam loucamente e juram que nunca mais vão se separar;

b) se amam loucamente, depois conversam e descobrem que não concordam em muitas coisas — ela, digam o que disserem, ainda simpatiza com o Fernando Henrique, e odeia peixe cru — e vocês nunca mais se veem.

7) Vocês se amam loucamente e juram que nunca mais vão se separar. Você:

a) a pede em casamento, e ela aceita;

b) a pede em casamento, e ela diz que aquilo é uma loucura, que vocês são muito jovens, que precisam pensar, que as famílias nunca concordarão e que é melhor dar um tempo.

8) Você a pede em casamento e ela aceita. Você:

a) chega em casa com a notícia, a sua família não concorda, diz que aquilo é uma loucura, que vocês são muito jovens, que precisam pensar, que onde se viu, que não contem com o dinheiro deles, que você vai jogar a sua vida fora por um sinalzinho perto do canto da boca, que blá-blá-blá, e você sai dizendo que vai fugir com ela e pronto e bate a porta;

b) chega em casa com a notícia, que causa um escândalo, e você se convence de que seria loucura mesmo, que o melhor é namorarem, os dois terminarem a faculdade, e no fim, se o amor ainda existir, pensarem no que fazer, e sua história também termina aqui.

9) Você a pede em casamento, ela diz que é melhor dar um tempo, você concorda, mas semanas depois ela diz que está grávida. Você:

a) casa com ela;

b) foge para Curitiba.

10) Você a pede em casamento, ela aceita, seus pais não aceitam, os pais dela não aceitam, você foge com ela. Você:

a) é obrigado a desistir de estudar e acaba vendendo artesanato na calçada para sustentá-la, sentindo que jogou a sua vida fora e lamentando a comemoração do maldito vestibular;

b) e ela vão viver em Santa Catarina, amam-se loucamente, mas voltam duas semanas depois, a tempo de se inscrever em suas respectivas faculdades, e ficam bons amigos.

11) Ela diz que está grávida e vocês decidem se casar, com a bênção resignada das famílias. Você:

a) usa a ajuda que recebeu do seu pai para comprar uma van à prestação, acaba com uma frota de vans, fica rico, aparece na *Caras,* tem filhos e netos e morre de uma falha do coração artificial em 2044;

b) descobre, horrorizado, no altar, que o sinalzinho perto do canto da boca era pintado e agora está perto do olho, e pensa em como seria bom se a gente pudesse voltar atrás e corrigir todas as escolhas erradas que fez na vida, mas como saber se a escolha era errada ou não, já que a vida não tem gabarito?

12) O padre pergunta se você aceita a Maria Cristina como sua esposa. Você:

a) diz "sim";

b) foge para Curitiba.

Datas

Calendário é um pouco como sinal de trânsito, que também nos manda parar, andar e fazer como os outros. E que obedecemos, nem sempre de boa vontade, para que a vida continue. O calendário também serve para organizar os sentimentos. O que faríamos com o nosso espírito natalino se não houvesse o Natal? Não teríamos como exercê-lo, ou o esbanjaríamos em qualquer data, sem qualquer sistema.

Há os que se rebelam contra o calendário e vivem pelas suas datas particulares. Fazem Carnaval o ano inteiro, réveillons todo fim de semana — ou Quaresmas permanentes. Mas estou falando de gente razoavelmente normal, como você e eu. Aceitamos as convenções do calendário como aceitamos as outras regras do convívio humano — inclusive as de trânsito — para não atrapalhar o fluxo social. E mesmo sozinhos precisaríamos delas. O primeiro ato racional de Robinson Crusoé na sua ilha deserta foi estabelecer um calendário. Só então, situado nas suas datas, partiu para pôr ordem na sua solidão. Podemos saber que o Natal é a data máxima do comércio sem que isso diminua sua importância no nosso fluxograma afetivo. Robinson determinou que um dia seria o de Natal, mesmo que não fosse o certo. Ele não precisava da data exata. Precisava do sentimento. Pelo menos uma vez por ano.

Na nossa casa, que não é uma casa religiosa, certas datas são observadas religiosamente. No Natal, nos reunimos com amigos para trocar presentes, comer peru e comemorar, não os remotos mistérios da Natividade ou do preço à vista em três vezes, mas o milagre de estarmos juntos. Também temos nossos rituais particulares. Toda véspera de Natal escolhemos uma música a ser tocada, em alto volume, para saudar a meia-noite. A música deste ano repetiu a do ano passado, *Saudade da Guanabara,* do Aldir Blanc e do Moacyr Luz, talvez numa homenagem inconsciente ao Vasco. (Na nossa casa, sabemos que estamos ficando velhos quando possamos do grupo que diz "Bota mais alto" para o grupo que diz "Não dá para abaixar um pouquinho?".)

Álbum de família

!

Arranjo floral

A tia Iná era tão sem graça que, quando o tio Austério foi posto numa dieta sem sal, a tia Inês comentou "Pelo menos ele ainda vai poder comer a Iná...", mas a doença do tio Austério não era brincadeira e ele morreu deixando a tia Iná, coitada, viúva aos 37. Ela foi morar com a tia Inês, que dirigia a vida de toda a família e tinha duas filhas, a Débi e a Dulce. Ninguém esperava que a tia Iná, coitada, fosse casar de novo, mas exatamente três anos depois da morte do Austério, ela perguntou à tia Inês se podia receber um homem em casa.

— Um homem, Iná? — perguntou a tia Inês, como se não soubesse o que era.

— É. Um moço que eu conheci no curso.

A tia Iná passava o tempo fazendo cursos e na época fazia dois, atualização cultural e arranjo floral.

— Que curso?

— Arranjo floral.

***

Criou-se uma enorme curiosidade na família (inclusive a chamada "gente da Idalina", que morava no interior) sobre o tal Tinoco — o nome dele era Tinoco — e chegou-se à conclusão, coitada da tia Iná, que só podia ser veado. Mas não só não era veado como era, nas palavras da tia Inês no relatório que fez por telefone à gente da tia Idalina assim que ele saiu pela porta depois da primeira visita, "um tipão".

— O quê? Fazendo arranjo floral?

— Vá entender.

***

Tia Inês encomendou uma investigação ao tio Inácio, cuja fama na família era de saber tudo. Nos almoços de domingo, tio Inácio era o mais esperado, porque sempre chegava com a verdadeira história por trás disto ou daquilo. "O Inácio deve estar por dentro" era uma frase que as irmãs usavam muito, antecipando as revelações do domingo sobre alguma notícia da semana, e o tio Inácio nunca decepcionava. Sempre sabia tudo que os jornais não tinham dado. Se alguém podia dar a ficha do Tinoco, era o tio Inácio. Afinal, precisavam ter cuidado. O Tinoco podia ser um aproveitador, atrás do dinheiro da tia Iná. Podia até ser um bandido, ou da ala radical do PT.

***

A ficha do Tinoco era impecável. A mesma idade da tia Iná. Viúvo, também, sem filhos. Financeiramente independente, aparentemente heterossexual, apolítico e gremista moderado. Bebia apenas socialmente e não tinha nenhum vício conhecido, morava sozinho num bom apartamento no Centro, jogava tênis, frequentava concertos de música clássica, embora também gostasse da popular, e tinha temperamento estável. E ainda por cima era um tipão. O ideal seria examinar um hemograma recente do Tinoco, mas isso nem o tio Inácio conseguiria. O curso de arranjo floral? Gostava de coisas bonitas, tinha tempo de sobra, talvez fosse apenas uma excentricidade, ou o desejo de conhecer pessoas como a tia Iná. Nada grave.

A ficha do Tinoco era tão boa que, quando o tio Inácio fechou seu caderninho e deu por encerrado o relatório, tia Inês exclamou:

— Mas é o homem perfeito para a Débi!

***

A Débi era a filha mais velha. Ia fazer 26 anos. Bonita e geniosa. "Difícil", no julgamento da família. Um namoro com um engenheiro hidráulico acabara mal, e ela recém tinha saído de uma fase depressiva complicada, com uma inflamação no umbigo por causa de um *piercing* malfeito. Um homem mais velho como o Tinoco, com aquela ficha, com aquele temperamento estável, com aquele cabelo parecido com o do Fernando Henrique... Era o ideal para a Débi. E certamente não era um homem para a Iná.

***

A tese que a tia Inês apresentou à tia Iná se baseava numa vaga teoria de determinismo descalibrado, ou destino vesgo. Era óbvio que o Tinoco estava destinado à Débi e que a tia Iná só fora usada para aproximá-los. O céu errara o alvo, algo assim. Era preciso corrigir o engano, que afinal fora só de centímetros, já que em vez da tia a verdadeira escolhida dos astros para o Tinoco era a sobrinha, que morava no mesmo endereço. E havia a questão da justiça. Não era justo que a Débi, com sua juventude e exuberância, perdesse aquele partido para a Iná, tão sem-sal. E quando a tia Iná, mesmo assim, resistiu, tia Inês invocou o espírito de família e sua autoridade moral para exigir um sacrifício. Ela que dera um teto à tia Iná no seu momento de dor. Ela que fazia tudo pela irmã. Tia Iná finalmente cedeu. E quando Tinoco chegou naquela tarde, quem abriu a porta foi a Débi, com um sorriso aberto e um decote mais ainda. O casamento foi há seis meses.

***

Ninguém sabe exatamente o que o Tinoco faz com a Débi. Ela se recusa a falar no assunto, mas emagreceu muito e a cada almoço de domingo suas olheiras estão maiores, e agora deu para mancar um pouco. Nem o tio Inácio sabe o que se passa com o casal e, mesmo, sua cotação como informante caiu muito. Do interior, a gente da tia Idalina sugere a eliminação física do Tinoco e diz que pode mandar alguém. Tia Iná vive com um meio sorriso nos lábios que ninguém sabe se é de triunfo ou de inveja, ou se é filosófico. E tia Inês não sabe o que fazer com seu remorso. Só repete:

— Arranjo floral, arranjo floral. Eu devia ter desconfiado...

Conto de verão nº 5: o tapir

Está é uma história terrível. Tem a ver com um homem e o seu cachorro e o desconcerto do mundo. Deve ter outros significados, mas o autor não quer nem saber quais são. Um homem e o seu cachorro.

A família morava numa casa e tinha um cachorro. Não sei de que raça. Não interessa. As crianças — um rapaz de 17, uma menina de 12 — gostavam de brincar com o cachorro, mas quem cuidava dele mesmo era o pai. (O pai das crianças, não do cachorro.)

O cachorro obedecia ao pai. Respeitava a mãe, brincava com as crianças, mas sua lealdade era dedicada ao pai. Lealdade forte, total, canina mesmo. Quando o deixavam entrar na casa, o cachorro ia direto botar a cabeça no joelho do pai para receber o cafuné.

Depois, deitava aos seus pés. Um dia, o pai entrou correndo em casa e fechou a porta atrás de si com rapidez e com cara de espanto.

— O que foi, Celmar? — perguntou a mulher.

— O Tapir.

— O quê?

— Avançou em mim.

— O quê?

— Avançou. Quis me morder. Olha, chegou a rasgar a manga.

— Meu Deus. É raiva!

Mas, quando a mulher foi olhar o Tapir, solto no quintal da frente, ele parecia normal. Aceitou o seu carinho, sacudiu o rabo, tudo como sempre. Mas foi só o Celmar botar a cara para fora da porta para o Tapir começar a rosnar e mostrar os dentes.

— Você fez alguma coisa pra ele, Celmar?

— Eu? Nada!

Quando as crianças chegaram, foram recebidas pelo Tapir brincalhão de sempre. Mas, quando o pai saiu pela porta, disposto a se impor ao Tapir pelo grito e acabar com aquela história, foi obrigado a voltar correndo para dentro da casa. O Tapir avançou nele de novo.

Qual era a explicação? Tapir não podia estar confundindo Celmar com outra pessoa, depois de tanto tempo. Nada mudara em Celmar. Loção de barba, roupas, nada. E, no entanto, Tapir tinha que ficar preso por uma coleira, nos fundos da casa, para Celmar poder transitar pelo quintal da frente sem susto. O quintal da frente da sua casa, da sua própria casa. Com o resto da família Tapir se comportava como antes. Segundo o veterinário, não havia nada de errado com ele. Mas era só avistar o Celmar, mesmo através de uma janela, e Tapir começava a rosnar e mostrar os dentes.

— Ouvi dizer que os cachorros têm um sexto sentido. Uma espécie de instinto para algumas coisas — disse um dia o filho, na mesa do jantar.

— Que coisas?

— Não sei, pai. Mas alguma coisa diferente ele notou em você...

Naquela noite, pela primeira vez, Celmar viu que a filha olhava para ele de uma maneira estranha. Desconfiada.

Outra noite. Celmar e a mulher na cama.

— O que você anda aprontando, Celmar?

— Como, aprontando? Por quê?

— O Tapir não se comportaria assim por nada.

— Não há nada! Eu sou a mesma pessoa de sempre. O cachorro é que enlouqueceu!

— Sei não. Sei não.

Dias depois, a família e os vizinhos acompanharam uma cena insólita nos fundos da casa. Tarde da noite. Celmar cara a cara com o Tapir, gritando.

— O que é? Hein? Hein? O que é?

E o Tapir quase arrebentando a coleira, tentando avançar no Celmar e latindo furiosamente.

Quando o Celmar anunciou que tomara a decisão de se livrar do cachorro, mãe e filhos se entreolharam. Depois, a mulher disse que não iam se livrar do cachorro, não. E disse:

— Nós achamos que ele está tentando nos avisar alguma coisa.

— Então eu saio de casa! — explodiu Celmar.

E saiu. Está morando sozinho. Quando não está no escritório, passa horas deitado, pensando ou se examinando no espelho, tentando descobrir o que o Tapir viu nele de repente e não aceitou. Tem saudades da casa e da família. Mas chegou à conclusão de que sente falta, mesmo, é do Tapir. Enquanto isso, a mulher e os filhos estão convencidos de que foi melhor assim e estão gratos ao Tapir pelo aviso. Às vezes, a gente não sabe o tipo de gente que tem dentro de casa.

Conto de verão nº 6: a faxineira

Ela não tinha referências mas parecia ser de confiança. Séria. Entre 40 e 50 anos. Foi contratada para limpar o apartamento duas vezes por semana. Não discutiu salário nem fez qualquer exigência. Na verdade, não falava muito. No primeiro dia, conseguiu abrir um vidro de compota que Mara e Felipe tinham passado uma semana tentando abrir. Com um único movimento das suas grossas mãos de camponesa.

***

Chamava-se Ruth. Nas raras vezes em que falava, era com um leve e indefinível sotaque. Mara e Felipe especulavam sobre a sua origem mas não se animavam a perguntar nada. Ela, claramente, não queria intimidade.

— Só sei que ela pôs ordem na minha mesa — disse Felipe.

Ruth não apenas arrumara a mesa dele — inclusive separando os lápis de acordo com o número e os clipes pelo tamanho — como organizara sua pilha de suplementos de economia guardados para ler depois, colocando-os em ordem cronológica. E tudo numa única manhã.

— E que felicidade não precisar mais ir ao super! — disse Mara.

Ruth fazia o rancho semanal para Mara. Além de organizar sua cozinha, deixava sugestões de menus para todos os dias da semana. Menus equilibrados, com a correta proporção de minerais e calorias. E algumas vezes deixava um prato feito, na geladeira, para o casal comer. E era sempre um prato maravilhoso.

***

— Não sei como eu vivi até hoje sem a Ruth — disse, um dia, Mara, que finalmente, magicamente, tinha tempo para tudo. Ruth racionalizara sua agenda e organizara seus horários, com a mesma eficiência que usara na redecoração do apartamento para torná-lo mais funcional. Ruth lidava com fornecedores e técnicos. Ruth, uma vez, até representara Mara numa questão chata com um vizinho, resolvendo-a, desconfiava Mara, com a ameaça de usar a força. Os braços de Ruth, os grossos braços com os quais arrastava móveis e carregava todas as sacolas do supermercado ao mesmo tempo, impunham respeito a qualquer um.

***

Quase inconscientemente, Mara e Felipe começaram a deixar seus problemas se acumularem para Ruth solucionar nos dias de faxina. Não só problemas com a casa e com o carro — Ruth também entendia de mecânica —, mas problemas sentimentais e de negócios. Um dia, Ruth viu Felipe atender a um telefonema de um tal de Pacheco e ficar muito alvoroçado. Mara explicou que era um agiota. Felipe já pagara o que devia mas o tal de Pacheco insistia que a dívida era maior. O tal de Pacheco estava infernizando a vida deles. Até fazendo ameaças. Ruth ouviu em silêncio, depois perguntou onde podia encontrar o tal de Pacheco.

***

Mara e Felipe estavam felizes como nunca. Com a orientação dietética e seguindo a programação de exercícios preparada para eles por Ruth, estavam elegantes e saudáveis como nunca. O apartamento estava um brilho. A vida deles estava um brilho. O tal de Pacheco parara de telefonar. Era só os negócios de Felipe melhorarem um pouco que a vida deles chegaria à perfeição. Até que um dia...

***

Um dia Felipe chegou em casa com o jornal meio escondido debaixo do braço e chamou Mara para o quarto. Ruth estava na mesa da sala, preparando a declaração de renda dos dois. No quarto, Felipe abriu o jornal e mostrou a notícia para Mara. Um tal de Pacheco tinha sido encontrado morto no quarto alugado em que morava sozinho, em adiantado estado de decomposição. Era um mau elemento, homem de muitos inimigos, a polícia já tinha vários suspeitos. Mas por enquanto só sabiam que ele tinha sido estrangulado por alguém com mãos muito fortes. E que a última pessoa vista saindo do quarto dele era uma mulher, entre 40 e 50 anos...

***

Naquela noite, na cama, Mara e Felipe estavam em silêncio. Tinham discutido o que fazer. Não podiam, claro, denunciar Ruth.

Também não podiam continuar com a faxineira, como se nada tivesse acontecido. Ou podiam? Não podiam. Agora estavam em silêncio. Até que a Mara disse:

— Felipe.

— Ahn.

— Eu estava pensando no Cacaio.

— Que que tem o Cacaio?

Era o cunhado de Mara. Um crápula. Alguém que arruinara a vida da irmã de Mara e infelicitava a vida dos seus sobrinhos. Alguém que, se pudesse, Mara estrangularia com as próprias mãos.

— A gente podia falar com a Ruth sobre o Cacaio.

— Ficou maluca?

— Pense só.

Felipe ficou em silêncio. Depois disse:

— Se é por isso, tem o Souza...

Era o principal concorrente de Felipe nos negócios. Um concorrente, inclusive, desleal.

O outro

Ele desapareceu no sábado passado e só reapareceu ontem, com olheiras mas sorrindo. A família atônita. Onde tinha andado?

— Na Bahia.

— O quê?!

Tinha pulado sem parar o tempo todo e acabado o Carnaval numa delegacia de Salvador. (Em vez de pegar um avião, tentara sequestrar um trio elétrico para trazê-lo de volta, ameaçando o motorista com um copo quebrado. Felizmente o copo era de papel e ele fora solto de madrugada.) E agora estava ali, ainda de sandálias, bermudas e camiseta do Chiclette.

A mulher mal podia falar.

— Mas você, você...

Finalmente conseguiu dizer: "Mas você, em casa, é um santo!". Bom, talvez não santo. Mas um homem sério, sóbrio, comedido. Por que virara outro na Bahia?

E então ele disse a frase:

— O outro é este. Eu ainda estou na Bahia.

E foi dormir, e está dormindo até agora. E deixou a mulher, os filhos, a cozinheira e o cachorro estarrecidos. Descobriram que estão vivendo com um desconhecido. Um homem exemplar, salvo por este detalhe: não é ele.

A questão é filosófica. Somos o que somos ou o que dizemos que somos? Ou, em termos ontológicos, o Homem é o que é o ano todo ou é o que é no Carnaval da Bahia?

Enfim, a família optará pelo pragmatismo. Afinal, o homem com quem vive é quem assina os cheques, seja ele quem for.

Filhos

Quando o Eduardo e a Carminha resolveram se divorciar, surgiu o problema de quem ficava com os filhos.

— O Betinho fica comigo porque é pequeno e precisa dos cuidados da mãe — disse Carminha.

— Mas quem cuida dele é a babá e a babá vai comigo — disse Eduardo.

— Como, vai com você?

— Eu preciso da babá para cuidar do Oswaldo.

— Mas o Oswaldo está com 17 anos!

— Ele e a babá são muito apegados. Seria uma maldade separar os dois.

— Então o Oswaldo fica comigo. O Oswaldo, o Betinho, a Carmem Maria, a Denise e a babá.

— Você está esquecendo de uma coisa.

— O quê?

— A Denise não é sua filha. Quando eu me separei da Jô e casei com você, trouxe a Denise e o Daniel comigo.

— Se é por isso, o Oswaldo também não é meu.

— O quê?

— É do meu segundo marido, que não quis ficar com ele.

— O Oswaldo não é seu filho?!

— Não, é do Miro. Pensando bem, nem é do Miro, é da Teresa. Quando os dois se separaram, o Miro ficou com o Oswaldo. Acho que por distração.

— Mas eu casei com você convencido de que o Oswaldo era seu filho.

— Que diferença faz?

— Que diferença faz? Você esquece que eu estive casado com a Teresa durante três anos.

— E daí?

— Daí que o Oswaldo pode ser meu filho. É engraçado, quando me separei da Teresa, tenho certeza que fiquei com todos os filhos. Deixei um ótimo cachimbo, mas trouxe os filhos.

— Você teve o Rui e o Raul com a Teresa. O Oswaldo é filho da Teresa com o Potiguar.

— Raul? Que Raul?

— Como, que Raul? Seu filho, Raul.

— O Raul é seu filho.

— Meu?!

— Quando nós nos casamos, você tinha o Raul, o Oswaldo e a Carmem Maria. Eu tinha a Denise e o Daniel. Nós tivemos o Betinho.

— De maneira nenhuma. Você tinha o Raul, a Denise e o Daniel, eu tinha o Oswaldo, que na verdade era do Miro, ou da Teresa mas ficou com o Miro, e a Carmem Maria.

— Mas então de onde saiu o Raul?

— Eu pensei que ele estivesse com você.

— Criamos um clandestino todos estes anos!

— Bem que eu desconfiava. Ele é o que mais gasta. E que fim levou o Rui?

— Que Rui?

— O seu filho com a Teresa. Você disse que ficou com todos os filhos do casamento.

— É. A Teresa não quis ficar porque ia se casar com o Potiguar e o Potiguar já tinha sete.

— Então o Rui ficou com você.

— Pois é...

— E que fim levou?

— Deixa eu pensar. Depois da Teresa eu me casei com a Jô...

— Então o Rui ficou com a Jô.

— Não. Espera aí...

— O quê?

— Lembra aquela nossa ida à Disney?

— Lembro. Levamos todas as crianças.

— Inclusive o Rui...

— E esquecemos ele lá!

— Tudo bem. Deve estar feliz.

— E o Raul?

— Fica com você.

— Não sei por quê! Eu fico com o Raul, o Oswaldo, a Carmem Maria e o Betinho, e você fica só com a Denise e o Daniel, que são os que gastam menos? Muito bonito.

— Mas você fica com a babá.

***

— Fica pelo menos com o Raul.

— O Raul não fica com ninguém. Já está com 21 anos e pode trabalhar. E, mesmo, não posso ficar com mais dois.

— Por quê?

— Porque pretendo me casar com a Marilu, que já tem cinco.

— E eu? E o meu novo marido?

— O Potiguar já tem sete. Mais quatro não vai fazer diferença.

O rodízio dos ares

Quando o Dr. Osíris morreu, os filhos se reuniram para decidir o que fazer com o que ele tinha deixado: uma viúva, uma casa e uma biblioteca. A casa ficaria grande demais para a dona Céres e no apartamento em que a instalariam não haveria lugar para os livros. A solução foi repartir a biblioteca entre os três filhos. Osías, o mais velho, engenheiro como o pai, ficou com os livros técnicos. Oreste, o do meio, ficou com toda a ficção, que não era muita. Ondina ficou com os dicionários e o livro de poesias. E foi folheando distraidamente o livro de poesias que Ondina descobriu, num papel amarelecido, com a tinta desbotada, um bilhete de amor dirigido ao seu pai e assinado "Anabela".

***

Ondina mostrou para os irmãos o seu achado e os dois riram muito. Osías disse "Vejam só", Oreste comentou "O safado!", depois os três ficaram pensativos. Quem diria, o Dr. Osíris. O bilhete tinha data?

Não tinha. Parecia ser um bilhete de despedida, embora terminasse com as palavras "sem despedida". Começava com "Osíris, meu amor" e era assinado "da tua Anabela". Os irmãos não conseguiam se lembrar de nenhuma Anabela.

***

No último almoço na casa antes da mudança da dona Céres, Ondina perguntou:

— Mamãe, quem era Anabela?

— Anabela? Não é a filha da Suzaninha da Gisela?

— Não, esta é uma pessoa mais velha. E a da Suzaninha é Anelize.

— Então não sei.

— Você e o papai nunca tiveram uma amiga chamada Anabela?

— Não.

— Alguma conhecida? Alguém do escritório do papai?

— Que eu me lembre...

***

Só depois de reler o bilhete pela décima vez, Ondina se lembrou de olhar a página do livro em que seu pai o guardara. Descobriu que o final do bilhete repetia um verso da página. "Que é tarde, que a minha vida, de chegada e de partida, volta ao rodízio dos ares, sem despedida." Olhou a frente do livro. Era uma coleção de poemas de Cecília Meireles. Havia uma dedicatória. "Para o Dr. Osíris. Com todo o respeito... mas com esperança. Anabela Galvão." E a data: 22 de outubro, 1957. Papai tinha 40 anos, pensou Ondina. Eu tinha cinco. Entre o "Dr. Osíris com todo o respeito" da dedicatória e o "Osíris meu amor" do bilhete, quanto tempo se passara? Entre o formal "Anabela Galvão" e o "tua Anabela", por quanto tempo o Dr. Osíris, tão sério, tão dedicado à profissão e à família, levara aquela vida secreta? Logo o Dr. Osíris, a quem ninguém, nunca, pensara em dar um presente menos utilitário do que um livro técnico, ou no mínimo uma gravata. E que um dia ganhara um livro da Cecília Meireles...

***

Ondina discutiu com os irmãos a sua ideia de investigar a vida secreta do pai. Descobrir quem era Anabela. Se tinha sido um amor platônico ou não. Não seria difícil. Tinham um nome, um sobrenome, uma data. Os irmãos não se entusiasmaram com a ideia. Para que mexer com aquilo? A dona Céres ia ficar sabendo. O pai tivera um caso, e daí? Era surpreendente. Quem diria, logo o Dr. Osíris, mas e daí? Melhor não mexer com aquilo. Ninguém se interessava em saber quem era Anabela. Ela que ficasse, como era mesmo a frase? No seu rodízio dos ares.

— Eu só acho engraçado ele ter guardado o bilhete assim — disse Osías. — Como se quisesse ser descoberto.

— Não — disse Ondina.

Ela estava tomada de uma grande tristeza. De grande mágoa com o pai, que, afinal, não conhecera como pensava. Não, o pai não queria ser descoberto.

— Ele sabia que ninguém lá em casa ia abrir um livro de poesia.

O sarrabulho

Os filhos tinham se criado ouvindo que ninguém fazia um sarrabulho como a dona Lazinha. Todos os anos, a mãe comprava o peru, preparava-o para a ceia de Natal e, quando ele estava pronto para entrar no forno, saía e voltava com o sarrabulho da dona Lazinha numa travessa coberta com uma toalha molhada. E o sarrabulho era mesmo uma delícia. Quando alguém elogiava o recheio do peru de Natal, sempre havia alguém da família para dizer:

— É da dona Lazinha.

E era o mesmo que dizer que, sendo da dona Lazinha, não se podia esperar outra coisa. Aquele era um dos estribilhos da casa, repetido com certeza dogmática, desde os primeiros Natais das crianças. Ninguém fazia um sarrabulho como a dona Lazinha.

***

Neste Natal a família se reuniu, como sempre, para comer o peru. O filho mais velho veio do Norte com sua família e o filho do meio trouxe a noiva. A filha mais moça era a única que continuava em casa. E foi ela que anunciou para a noiva do irmão, quando o peru chegou à mesa:

— Você vai conhecer o famoso sarrabulho da dona Lazinha.

— Não é da dona Lazinha — disse a mãe.

Fez-se um silêncio de incompreensão, seguido de revolta generalizada, na mesa. Como, não era da dona Lazinha? Onde já se vira, um peru de Natal sem o recheio da dona Lazinha?

— A dona Lazinha morreu — disse a mãe.

***

O filho mais velho chegou a comparar a morte da dona Lazinha à morte do John Lennon. O choque, o sentimento de perda e desorientação eram os mesmos. Para ele, aquilo significava o fim de uma era. Subitamente, todas as suas referências afetivas tinham desmoronado. Nem quis comer o peru, em sinal de protesto, e concentrou-se nas saladas. Todos ficaram abalados, e o sarrabulho da dona Lazinha dominou a conversa na mesa. Ninguém se lembrava de um Natal sem o sarrabulho da dona Lazinha recheando o peru. Até que o filho do meio resolveu perguntar:

— Quem era a dona Lazinha, afinal?

Durante todos aqueles anos, a dona Lazinha fora uma parte importante das suas vidas, e eles nunca a tinham visto. Não sabiam nada da dona Lazinha. Só o que conheciam da dona Lazinha era o sarrabulho.

— Era uma grande amiga minha — disse a mãe.

— E por que ela nunca veio aqui em casa?

O pai e a mãe trocaram um rápido olhar.

— Vamos mudar de assunto? — disse o pai.

***

Mas estava todo mundo curiosíssimo. O que significara aquele olhar entre o casal? Que mistério envolvia o nome da dona Lazinha? Nunca tinham se dado conta de que por trás do sarrabulho havia um ser humano, uma história, talvez um drama... A mãe parecia prestes a chorar.

— Vamos mudar de assunto, gente — insistiu o pai. — É Natal!

A noiva do filho do meio decidiu se manifestar. Para evitar que o jantar desandasse numa tragédia.

— Eu achei este sarrabulho uma delícia. Foi a senhora mesma que fez?

— Não — disse a mãe, levantando-se da cadeira. — Comprei pronto, no supermercado.

E saiu da mesa às pressas, chorando convulsivamente, depois de atirar o guardanapo contra o peito do marido.

***

Os filhos ficaram atônitos. Todos aqueles anos de segura domesticidade, de continuidade e valores estáveis simbolizados pelo sarrabulho da dona Lazinha, e agora descobriam que o sarrabulho da dona Lazinha significava outra coisa. Mas o quê? Fosse o que fosse, era algo de que nunca tinham desconfiado. E jamais saberiam. O pai se recusou a fazer qualquer comentário ou dar qualquer explicação, sobre a dona Lazinha ou sobre o comportamento da mulher. Disse apenas:

— Passa a rabanada.

Este livro foi impresso na
LIS GRÁFICA E EDITORA LTDA.
Rua Felício Antônio Alves, 370 – Bonsucesso
CEP 07175-450 – Guarulhos – SP
Fone: (11) 3382-0777 – Fax: (11) 3382-0778
lisgrafica@lisgrafica.com.br – www.lisgrafica.com.br